JN237848

ザ・プロフェッショナル

The Professionalism

21世紀をいかに生き抜くか

大前研一

ダイヤモンド社

はじめに——予言は自己実現する

こんな予言をしてみたいと思います。

「早晩、プロフェッショナル・クラスが台頭し、日本産業界を揺り動かす」

まさしく字義どおり、ついにプロフェッショナリズムがアマチュアリズムを凌駕する時代、すなわち純度の高い資本主義、健全なる自由競争、真実の実力主義がますます現実化し、その一方で、問題や状況、優先順位に応じて、正しい知識とスキルを組み合わせ、その解決を図ることのできるビジネスマンが一般化し、しかも、まるでＣＰＵの演算処理能力を競うがごとく、さらなる高みを求めて研鑽を重ねるプロフェッショナルが増殖していく時代が訪れる——。

みなさん、「予言の自己実現」という言葉を聞いたことがありますか。これは、アメリカの社会学者、ロバート・Ｋ《キング》・マートン——マイロン・ショールズと一緒にノーベル経済学賞を受賞し、一九九八年に破綻してしまったヘッジ・ファンド、ＬＴＣＭ（ロング・ターム・キャピタル・マネジメント）の創設者の一人、ロバート・Ｃ・マートンの父親――が提唱した概念です。

要するに、確たる証拠の必ずしもない予言が一つのきっかけとなって、新しい行動が呼び起こされ、ついにはその行動が当初の予言を現実のものにしてしまうのです。ですから、私は冒頭のような予言をしてみたわけです。

それは、「プロフェッショナル・クラス」とでも呼ぶべき、先天的に決められたのではなく、後天的に実力で勝ち取った社会的階級が台頭して、いまなおはびこっている旧世紀の不合理や非効率を排し、二一世紀の日本を切り拓いていく人材が増えてほしいからにほかなりません。

たとえば、先の第一六二回通常国会で、郵政民営化法案が参議院で採決される前、自民党執行部はメディア各社に対して「まだ審議すら終わっていないのだから『成立は難しい』といった表現はやめてほしい」と要請しました。その危惧どおり、「成立は難しい」という「予言」が実現してしまったのは記憶に新しいところです。

ご存じのとおり、これまで私は、「横紙破り」とか、「あまのじゃく」と呼ばれようと、自分の意見を遠慮会釈なく、もちろん角を丸めたりすることなく表明してきました。そのため、旧《ふる》い秩序の番人たちから「あなたがそういうことを言うと、本当にそうなってしまいますから」といった、お願いのようなお叱りを何度も頂戴してきました。なるほど、この四半世紀を振り返ってみて、もちろん満額回答ではないにせよ、私の提言や構想が生みの親である私の手元から離れ、知らぬ間に実現していったというケースが少なからず存在しています。

ただし、本書はいわゆる「予言書」ではありません。プロフェッショナルを育てる「強化書」です。まずプロフェッショナルの心得に始まり、そのための知的プラットフォーム（基本要件）について詳しく解説していきます。ですが、ハウツーは期待しないでください。無考えにハウツーを求め、これにすぐさま飛びつくような態度は、プロフェッショナルたる者、戒めなければなりません。もちろん、そのような勉強も必要でしょうが、本物のプロフェッショナルは、そのようなハウツーをまず疑ってかかるものです。

ですから私も、本書をまとめるに当たって、そもそもの原稿である『ハーバード・ビジネス・レビュー』連載当時の内容をもう一度疑ってみました。最終的には、コンセプトそのものを見直し、その血の半分以上を入れ替え、生まれ変わらせました。

これまでも何度か申し上げてきましたが、私はかつて原子炉エンジニアとして働いていましたが、不思議な縁あって、マッキンゼー・アンド・カンパニーという経営コンサルティング会社に入社しました。しかし、ビジネススクールにも通っていませんし、ただただ科学に関する勉強ばかりしていたわけですから、ビジネス・プロフェッショナルとしての修業はもちろん無手勝流でしたし、試行錯誤の連続でした。そこで本書では、これからの日本を背負って立つビジネス・プロフェッショナルのみなさんに向けて、私がこのような修業から学んだエッセンス、とりわけ、プロフェッショナルとして最低限求められる思考様式《マインドセット》について紹介することにしました。ただし、けっして私の言葉を鵜呑みにすることなく、自分の言葉で考えることを忘れないでいただきたい。

本書は、二〇〇四年七月から始まった『ハーバード・ビジネス・レビュー』の連載を下敷きにしていますが、私は三〇代から四〇代にかけて、英語版でこの雑誌をよく読んだものです。なぜなら、クライアントたちの大半が購読していたからでもありますが、そこに書かれている知見やフレームワークと一戦交えるためでした。ビジネス・プロフェッショナルを自負するならば、『ハーバード・ビジネス・レビュー』くらい読みこなせないとまずいでしょう。さらに一歩踏み出して、ここに寄稿している識者たちに知的格闘を挑んでみてはどうでしょう。実際、書かれていることをそのまま試してみるシャドウ・ボクシングよりも、むしろ疑ってみたり、反論してみたり、時にはうなずいてみたりと、スパーリングのほうがよほど有意義です。

最後に、もう一つ予言します。

「だれでもプロフェッショナルになれる」

大前研一

二〇〇五年九月吉日

ザ・プロフェッショナル

◉目次

CONTENTS

第2章◉先見する力

第5章◉ 矛盾に適応する力

第1章◉

「プロフェッショナリズム」の定義

プロフェッショナルを定義する

「ここ何年か、プロフェッショナル、プロフェッショナルといわれますが、大前さんは、どのようにプロフェッショナルを定義しているのですか」。こんな質問をよくされます。バブルがはじけてからというもの、また私の終わりなき注意警報も多少なりとも功を奏したのか、ビジネスマンのなかに「もう国や会社はあてにならない」という健全な危機感が広がり、自分自身の価値を高めようという機運が芽生えました。と同時に、「プロフェッショナル」という、一見かっこよく、耳当たりのよい言葉が頻繁に使われるようになりました。

自分自身の市場価値《マーケット・バリュー》を再認識する過程において、このプロフェッショナルという言葉はまさしく象徴的であり、また高次元の世界を目指して、みずからを鼓舞するうえで、一種のブースターの役割を果たしてきたと思います。ところが、あまりに安易に使われたせいで、どうもその核心から遠ざかっているように思えてなりません。たとえば、よく企業のリーダーたちは「みなさん、その道のプロになりましょう」と、入社式や社員集会などで御託宣を述べられますが、これなどは明らかに誤用です。この場合のプロはスペシャリストを意味しており、言うまでもなく、スペシャリストとプロフェッショナルは似て非なるものです。

何事であろうと、本質を追究することが、本質を知る近道です。そこで、私が考えるプロフェッショナルの定義をご披露する前に、一般的にはどのように考えられているのか、ちょっと「グーグルしてみた」ところ、こんな具合でした。

「専門的な知識や技能によって報酬を得ている人」（なるほど、なるほど）
「社内のみならず、社外においても、第一線で通用する専門知識や実務能力を備えている人」（たしかにそのとおり）
「果たすべき役割をまっとうできる能力を備えた人」（言うまでもない）
「自分の仕事に夢と誇りを持ち続け、不断に努力を重ねる人」（大事なことです）
「平均以上の成果を上げられる人材」（そうあるべきでしょう）

これら以外にも、「倫理感が高い」「揺るぎない自信に裏づけられている」「信念を貫く」

など、いろいろありますが、総じて「高い専門性を備えている」「自立&自律している」「ハイ・パフォーマーである」といった見解が共通するところです。どれもこれもけっして間違いではないのですが、何か違う——。

さらに、アメリカ移民局が非居住者向けにビザを発給する際に設定している職業分類について調べてみました。アメリカの場合、Aの外交官用に始まり、Rの宗教関係者まで一八分類がありますが、専門職用のH—1Bを見てみましょう。

このH—1Bビザを申請するには、本ビザが対象とする職業分野に関する学士以上の学位を取得していること、就業を予定している州が発行する免許を保有していること、これらに相当する専門的な知識と経験を有していること、のいずれかを満たしていなければなりません。そして、対象とする職業分野は、建築や工学、数学や自然科学、コンピュータ、生命科学、社会科学、医学・保健、教育、博物館学や図書館学、法学、神学、著述、芸術、音楽・芸能、ファッションモデル、そして、企業の経営者や管理者です。要するに、企業でいえば、ホワイトカラー業務のほとんどが当てはまることになります。どうもあまり参考にはなりません。

忘れられた「顧客への誓約」

アメリカの超人気ドラマ『ＥＲ』（緊急救命室）をご存じですか。シカゴのカウンティ総合病院を舞台に繰り広げられるヒューマン・ドラマで、おそらく観たことはなくても、こんな番組があることを聞いたことがあるのではないでしょうか。これは、『ジュラシック・パーク』で有名なマイケル・クライトンとスティーブン・スピルバーグがタッグを組んで制作したものです。一九九四年に始まり、これまでエミー賞に一〇八回ノミネートされ、何と二一回も受賞しています。ちなみに、この二〇〇五年三月から、シリーズ第一〇作目『ＥＲ10』が放映されています。

もちろん、私は配給元のワーナー・ブラザーズやＮＨＫの広報・宣伝の担当者ではありませんから、詳しいことはそちらにお任せしますが、この『ＥＲ』のなかで“Oath《オウス》”（誓い）という言葉が出てきます。これは正しくは“The Oath of Hippocrates《ジ・オウス・オブ・ヒポクラティーズ》”、医学の世界で「ヒポクラテスの誓い」と呼ばれているもので、医学の父、あるいは医聖という異名を持つ、ヒポクラテスの考えにのっとってつくられた、医神アポロンやアスクレピオスなどの神々の前で宣言する誓いの言葉です。これを具体的に示したのが「ヒポクラテスの誓詞《せいし》」の九カ条（『ヒポクラテスの西洋医学序説』常石敬一訳、小学館）で、医師を目指す学生たちにこれを誓わせる医科大学もあるそうです。

この九カ条は、プロフェッショナリズムについて考えるうえで、きわめて意味深長です。ちょっとご紹介しましょう。読まれるにあたっては、医を「仕事」、患者を「顧客」に置き換えてみてください。

一、医の実践を許された私は、全生涯を人道に捧げる。
一、恩師に尊敬と感謝を捧げる。
一、良心と威厳をもって医を実践する。
一、患者の健康と生命を第一とする。
一、患者の秘密を厳守する。
一、医業の名誉と尊い伝統を保持する。
一、同僚は兄弟と見なし、人種、宗教、国籍、社会的地位のいかんによって、患者を差別しない。

一、人間の生命を受胎のはじめより至上のものとして尊ぶ。
一、いかなる強圧に遭うとも、人道に反した目的のために、我が知識を悪用しない。

そもそもプロフェッショナルの語源は"profess《プロフェス》"で――『出る単』などでは「告白する」と書かれていますが――これは「神に誓いを立てて、これを職とする」という意味の言葉です。ヒポクラテスの誓いはまさしくそうです。

人命を扱う医師や薬剤師、看護師、人間の行為の善悪を判断する弁護士などは、古《いにしえ》の時代よりプロフェッショナルと見なされ、やがては会計士や税理士といった俗にいう「士族」、大学の教授や先生など、いわゆる国家資格を取得した人々にも広げられ、それが一般的な認識として定着しています。しかし、このプロフェッショナル観は、明らかに時代と齟齬《そご》を来し始めています。それはみなさん自身も感じているはずです。

たとえば、本当に医師免許があるのかと疑いたくなるような医療ミス、院長や医師たちによる見苦しい謝罪の記者会見、そして「三時間待って三分の診察」など、いっこうに改善されない病院の対応などを見聞きするにつけ、ヒポクラテスの誓いとはいったい何なんだろうかと首を傾げたくなります。また、ウォールストリートを陰で操る巨大法律事務所、カネのためならば事実もねじ曲げる弁護士の話なども、空恐ろしい限りです。法は解釈一つで、我々の人生を狂わせかねない、ある意味、怖い領域です。

さらに、会計士です。エンロン・スキャンダルをはじめ、西武鉄道グループやカネボウの粉飾決算など、プロフェッショナリズムの不在は言うまでもないでしょう。しかも、アメリカでは〈クイッケン〉をはじめとする家計簿ソフトが登場したことで、スペシャリストとしての会計士や税理士が提供する財務サービスの大半が「コモディティ化」、つまり洗剤や歯磨き粉のような、ありふれた存在になってしまったのです。早晩、日本でも同じ状況が訪れるでしょう。

要するに、プロフェッショナルは職業の種類によって定義されるものではなくなっているということです。プロフェッショナルの医師や弁護士もいれば、単に国家資格を持っているだけのアマチュアの医師や弁護士もいるのです。裏返せば、資格など単なる紙切れでしかなく、真のプロフェッショナルになれなければ、「足の裏の米粒」のようなもの、つまり「取っても食えない」のです。

そして、このような有資格者の世界において、プロフェッショナルとアマチュアを分けるものこそ、「顧客主義」ではないでしょうか。プロフェッショナルの定義のほとんどは、最も重要な「顧客」という存在をなおざりにしたまま、その知識や技能に焦点を当てているのです。私が「何か違う」と感じた理由は、ここにあります。

一九九〇年に『ボーダレス・ワールド』（プレジデント社）を上梓する前、『ハーバード・ビジネス・レビュー』誌に“Managing in the Borderless World”《マネージング・イン・ザ・ボーダレス・ワールド》という論文を寄稿したのですが（欧米では、自信作を発行する前に、同誌で顔見世興行するのが慣わしの一つです）、その時お世話になった当時の編集長、ハーバード・ビジネススクールのセオドア・レビット教授は「企業は商品やサービスを通じて、あなたを一〇〇パーセント満足させますという『誓約』を販売しており、顧客はこの『誓約』を購入している」と喝破しています。また、一九九六年から二〇〇二年までＮＴＴデータの社長を務めた青木利晴氏は「顧客には『誓約』を、みずからには『制約』を課す」と、なかなかの名言を述べられています。

マッキンゼー・アンド・カンパニーには“Putting the client interest first”《プッティング・ザ・クライアント・インタレスト・ファースト》（顧客の利益を最優先せよ）という価値観があり、ベテランであろうと新人であろうと、これを徹底させられます。自分や自社の利益に基づいた判断を下すことを厳に戒めています。もしこの掟を破ろうものなら、いかにビッグ・プロジェクトを担当していようと、周りから信用を失い、軽蔑されるだけでなく、解雇の事由となります。

あらゆる人に顧客が存在する

最近では少なくなったのでしょうか、昔はよく上司が部下に、あるいは先輩社員が後輩社員に「おまえの給料はお客さんが払ってくれている」と諭している光景が見られました。まったく正論なのですが、さて、その時の「お客さん」とは、いったいだれなのでしょう。消費財メーカーならば、言うまでもなく、提供する商品やサービスを最終的に消費するエンド・ユーザーであり、そして、これらエンド・ユーザーとの接点を預かっている小売企業も顧客といえます。

さて、ここに一つのジレンマがあります。つまり、エンド・ユーザーのニーズに応えることが小売企業のニーズに応えるとは限らないこと、逆に、小売企業のニーズを満たすことがエンド・ユーザーのニーズを満たすわけではないのです。したがって、エンド・ユーザーと小売企業の両方のニーズに応えたものがヒット商品といえるのかもしれませんが、そうそう狙って打てるものではありませんし、またヒット商品でなくとも、両方のニーズを満たした商品というものも存在します。

　では、法人が顧客の企業の場合、いわゆるＢ２Ｂ企業の場合は、どうでしょう。たいていの人が、その商品やサービスを納入する部門を顧客と考えます。また、顧客のほうもそう思っています。しかし、半世紀以上も前から、Ｂ２Ｂの世界では「顧客の顧客」について考えることの重要性が指摘されてきました。たとえば、ＩＴベンダーならば、情報システム部門が直接の顧客でしょうが、顧客の顧客はその会社の社長、場合によっては全社員です。医療機器メーカーや製薬会社ならば、医師や病院の事務部門などが直接の顧客であり、顧客の顧客は患者ということになります。ちなみに、先述した消費財メーカーの場合、消費者は、直接の顧客でもあり、小売業という顧客の顧客でもあるわけです。

　しかし、Ｂ２Ｂの世界にはマーケティングがないとよくいわれますが、ひるがえって、顧客の顧客に目を配っているプレーヤーは皆無に近いのではないでしょうか。実際、法人営業の担当者は、直接の顧客に気に入られることしか考えていませんし、ライバルが現れようものなら、卑怯な手段に訴えてでも——そんなエネルギーがあるくらいならば、もっと別のことに取り組めばよいのですが——排除しようとやっきになります。ゴルフをやって商談を進めるなどは、一流企業ではコーポレート・ガバナンス上、禁止されている行為です。これを不思議と思わない輩がやがて、トップに登りつめて、ケガをするのです。

こうした温床から生まれてきた悪知恵というのが「談合」です。よくウィン・ウィンな関係、つまり、お互いが利益に浴する関係が重要であると、何の疑問もなく口にするマネジャーがいますが、この談合もウィン・ウィンな関係の一つといえます。

談合が、独占禁止法に違反するのは言うまでもありませんが、発注側の顧客からすれば、まったくの新参者に比べれば、出入りのベテラン業者グループのほうが、多少のコストを支払っても、これまでの商売上の関係も深ければ、相手の力量も予測できますので、リスクは小さいわけです。しかし、これまで申し上げてきたように、独占禁止法のみならず、プロフェッショナリズムにも抵触します。なぜなら、そこには顧客の顧客は存在しないばかりか、顧客に最高の価値を届けることを阻害するからです。いまだに談合がなくならない業界はほぼ例外なく閉鎖的で、それゆえ新陳代謝が起こらないため、競争原理も働かなければ、その産物であるイノベーションともいつも無縁です。

裏返せば、顧客の顧客について考えることで、他業界にも関心を広げるようになり、これが既存の方法を見直すきっかけとなって、直接の顧客にユニークな価値を提供するチャンスに発展する可能性が生まれてくるわけです。しかし、だれもが組織のしきたりに諫《いさ》められ、業界慣行に従い、沈黙していきます。まるで山崎豊子の『白い巨塔』や手塚治虫の

『ブラック・ジャック』に登場する医局員たちのように——。

また、総務部、人事部、経理部や財務部、経営企画部、そのほか法務部や広報部といった間接部門にも顧客がいます。ここに働く人たちはコーポレート・スタッフと呼ばれ、経営陣の手足となって働いています。ですから、彼らの顧客は経営陣であり、また経営陣を指名する取締役会、さらにこれら取締役を選任する株主たちといえるかもしれません。

実際、経営陣との距離が近いせいで、彼らはまるで高級官僚のごとく振る舞いがちです。葵《あおい》の御紋をちらつかせたり、社内警察よろしく一般社員を監視したり、時には裁判官のごとく裁いたり、ある時は組織の裏で暗躍したりと、ことほど左様に経営陣の代理人という権力を笠に着て行動します。これこそ官僚主義というものです。一般社員が知りえない社内情報、だれも全部まで覚えているはずのない規則を盾に、自分たちの立場を誇大化し、人々を管理・統制します。

しかし、ちょっとした言葉遊びをすれば、官僚とは「パブリック・サーバント」、すなわち公僕であり、ならば「官僚主義」とは、世のため人のためにその身を捧げることと理解されてもよかったはずなのですが、まったく逆の意味で使われているのは皮肉です。

私もかつては原子力工学のエンジニアでしたから——原発事故の恐ろしさは、一九七九年三月のスリーマイル島や一九八六年四月のチェルノブイリの惨事をひも解くまでもないでしょう――安全管理については徹底的に教育された口です。そのような経験から申し上げれば、安全管理には、やはりルールやマニュアルが必要になりますが、これらを守ること、守らせることがついつい目的化しがちです。これこそ官僚主義への誘惑であり、落とし穴なのです。

「安全は守られて当然」のものですから、いきおい違反やミスに目が向かいがちとなり、ムチだけの管理になります。原子炉の安全はいままでに想定されている範囲のことだけをしても守られません。いままでの事故のほとんどは「想定外」の状況下で起きています。すなわち、安全性を高めるには想定外のことが起こった時に、とっさに判断できるプロ（そういう意味でのプロフェッショナル）がいなければならないのです。

職務に忠実であり、組織の枢要を預かる経営陣に価値を提供しているといえば、聞こえはよいでしょうが、「企業内官僚」である間接部門も、パブリック・サーバントならぬ「社内サービス部門」（“service《サービス》”の語源は「神に仕えること」です）と呼ばれます。つまり、経営陣は顧客の一人であり、他の社員も等しく大切な顧客なのです。にもかかわらず、職位の高い人のご機嫌を真っ先にうかがう。

ただし、これは無理からぬことなのかもしれません。ヒラの取締役も自部門では御大尽ですが、生殺与奪権を握っている社長や会長の前では「沈黙は金、雄弁は銀」を座右の銘とする一忠犬に変わってしまうのですから——。

しかし、このようにお偉方の顔色ばかりうかがっているヒラメ社員に、またそのような行為が要求されるような組織に、プロフェッショナリズムが宿ることなどありません。断言できます。しかも、場合によっては「利益相反」を招きかねません。これは深刻な問題です。

まず、利益相反に関する説明が必要でしょう。CEOやCFOといった経営者は、株主から会社の経営を任されているわけですが、これら経営者が株主の利益を損なうような不正行為をしでかした場合、これは「受託者義務」（経営者とは、株主から経営を委託され、これを受託した存在）を怠ったと見なされます。これが利益相反です。

利益相反と見なされる範囲は広く、一概に定義できないのですが、ここ数年のアメリカでの訴訟や司法取引を見る限り、コンプライアンス（遵法義務）は言うまでもありませんが、かなり厳しい事例が散見されます。

たとえば、グラクソ・スミスクラインは同社の抗うつ剤について、あまり消費者には伝えたくない臨床試験の結果を公表しなかったかどで、二五〇〇万ドルの和解金を支払っています。また、世界最大の保険ブローカー、マーシュ・アンド・マクレナンが大手保険会社の商品をちょっと優遇したことで提訴されました。さらに、これは昔から指摘されていましたが、社内の証券アナリストと投資銀行部門はグルの疑いが強いとして、メリルリンチは一億ドルの和解金をしぶしぶ支払っています。

これらはいずれも、二〇〇四年末に次期ニューヨーク市長への立候補を明らかにした、ニューヨーク州司法長官、エリオット・スピッツァーの裁定によるもので、まさしく「法は解釈次第」であると痛感させられると同時に、スピッツァーの物差しで見れば、日本企業のほとんどが利益相反の巣窟みたいなものでしょうから、きっちり司法取引すれば――まだ日本では司法取引が認められていません――一兆円くらい、すぐ集まるのではないかと思ってしまいます。

話を戻しましょう。つまり、会社の論理で行動することは、とてもプロフェッショナルと呼べないばかりか、これからの時代、ヤバいのです。そのためにも、どんな仕事にも顧客がいることを肝に銘じて、そこへの献身を誓うべきなのです。

エンパワーメントにまつわる誤解

部下を育てるには、手取り足取り教えるよりも、むしろ「エンパワーメント」、すなわち彼らや彼女らの権限を広げて、部下自身の力で解決させるのがよいといわれています。なるほど、部下の秘められた力を解放するには、口うるさくあれこれ指示するよりも、彼ら彼女らの潜在能力を信じて、その自発性に委ねたほうが好結果が生まれてくるというわけです。人はだれでも、他人の意思で動かされるよりも、自分の意思で行動することを好みますから、当然のことながら、やる気のほども違ってこようというものです。

たしかに日本の組織では、企業に限らず、長らく上司が命令し、それに部下たちが従うという上意下達の文化が一般的であり、いまもそのような組織が少なくありません。おかげで、上司のミス・ジャッジや気まぐれな意思決定に振り回されたという経験をだれもが持っているはずです。ことによると、そのせいで、事業が悪い方向に傾いてしまったり、会社そのものが存亡の危機に陥ってしまったりした企業もあったことでしょう。

何より、いまのご時世にあって、グローバルに流通する情報や知識の量は、いかにスーパーマンであろうと、とても一人の人間で処理し切れるものではありませんから、部下たちにエンパワーメントしなければ、上司自身もパンクしてしまうでしょうし、ビジネスにも悪影響が生じるでしょう。

ＩＢＭの新しいＣＥＯ、サミュエル・パルミサーノも「組織構造や経営陣の指示によって、（全世界に二〇万人以上の社員を抱えている）ＩＢＭの力を最大限に引き出すことは、まず無理なのです。ならば、社員一人ひとりが正しい判断を正しい方法で下せるように支援すると同時に、彼ら彼女らに権限委譲するしかありません」と述べています。また、昨今のコーチング・ブームも、エンパワーメントが「時代の要請」であることを裏づけています。

しかし、大衆化運動のごとく、いきおいエンパワーメントを、部下の権利、上司の義務と考えてしまうのはどうでしょうか。エンパワーメントされる人も、またする人も、プロフェッショナリズムという視点から、考え直してみてください。

エンパワーメントにまつわる議論を聞いていると、たいてい「顧客の都合」が抜け落ちています。言い換えると、上司と部下の関係、あるいは会社と社員の関係だけで語られているのです。たとえば「仕事を任せてくれない」とか、「自由にやらせてくれない」と、かつての「くれない族」のように不満を漏らす人がいます。そのような人たちに、いったんその上司の善し悪しについては脇に置いて、いくつか問いたいことがあります。

「権限が増えると、顧客にどのような価値が提供できるようになるのか」
「新しい権限を活用できるだけの能力とスキルが身についているのか」
「新しい権限を使いこなせるだけの能力やスキルに乏しい場合、どうするのか」

そんなことはエンパワーメントされてみないとわからない、エンパワーメントされなければ、新しい能力やスキルは学習できないといった反論があるでしょう。たしかに、そのとおりです。人は試行錯誤を繰り返しながら、成長していくものであり、昔から「失敗は成功の母」といわれています。また、新たな権限が与えられたことで、バケる人がいるのも事実です。それでも、あえて言わせていただきたい。あなたが成長するかどうかなど、実のところ、顧客にすれば、どうでもよいことなのです。あなたにすれば、失敗は成長の糧でしょうが、顧客にすれば、たまったものではありません。

エンパワーメントはたしかに重要です。ですが、されるだけの覚悟を持っているのかどうか、この点について、いま一度自問自答してみてほしいのです。新しい権限を武器に、顧客が抱えている問題を解決し、ユニークな価値を提供できるのか。そのために必要な能力やスキルを学習することに貪欲かどうか。だれかの力を借りなければならない時、それが年下だったり、あまり仲のよくない相手だったりする場合、自分の意地やプライドを捨てられるのかどうか。

エンパワーメントされて、自由な行動ができるようになると、こうした恣意的な行動が広がる傾向が散見されます。これなどもエンパワーメントという面ばかりが強調されて、プロフェッショナルという車の両輪がうまく作動していないために起こる現象です。

権限を求めるのはたやすいですが、これをまっとうするのは大変なのです。また、これまでエンパワーメント、エンパワーメントと騒いで、いざ権限を委譲されると、いきなり仕事の鬼に変わってしまう人がよくいます。単なる自己満足ならば、それはプロフェッショナルの精神に反します。最低でも、顧客のために使われなければなりません。

本当に権限がほしいならば、しかもそれが顧客のためになるならば、与えられるのを待っているのではなく、みずから奪いにいくべきでしょう。日本アイ・ビー・エムの取締役専務執行役員に内永ゆか子氏がいますが、彼女が新人だった頃、男女雇用機会均等法はまだ制定されておらず、一般女性職員の深夜残業は禁止されていました。しかし、最高の仕事をなし遂げるには時間が足りなくて、女性トイレに隠れて仕事をしていたそうです。これは有名な話ですが、これ以外に、当時の上司だった倉重英樹氏（現日本テレコム代表取締役会長）に「もっと仕事がしたいので、管理職にしてください」と嘆願したそうです。

ヒナは、親鳥が餌を運んでくれるのを、巣の中で口を開けて待っています。でも、一人前になれば、自分で餌を取りにいきます。あなたがプロフェッショナルを自負するならば、もう答えは出ているはずです。それは「半人前と一人前は何が違うのか」という問いへの答えでもあります。

一方、エンパワーメントする人、つまり上司にも、同じく覚悟が要求されます。もし世の流行に任せて、あるいは部下たちの機嫌を取ろうと、安易にエンパワーメントし、その結果、顧客に迷惑がかかったり、怒らせてしまったりした場合、どうしますか。部下のせいにして、ほおかむりする。これは言語道断です。少なくとも、きちんと謝ったうえで、部下のミスを償わなければならないでしょう。ただし、これも最低限のことであり、当たり前のことです。

私が考える正解は、こうです。部下の能力やスキルを見極め、その人の成長を考えたうえで、ふさわしい権限の範囲を決める。そして、部下の現在の能力水準と、その権限に求められる能力水準とのギャップを把握し、そのギャップをみずから埋める覚悟を持って、権限を与える。もちろん、顧客に累が及ぶことのないように。

たとえば、ある人材の知力や能力、やる気を総合すると、レベル五だとしましょう。彼あるいは彼女に新しい権限を与えれば、これまでやりたくてもできなかったことが可能になり、顧客には新しい価値がもたらされる。しかし、その権限を使いこなすには最低でもレベル八は必要である。その時、このレベル三のギャップを埋めるために、もちろん部下も努力しなければならないが、上司であるあなたも一緒に頑張らなければならない。ただし、もし部下が途中で挫折してしまった場合、あなたはこのギャップを埋めることに責任を負わなければならない。その覚悟ができているならば、おおいにエンパワーメントすべきです。ちなみに、部下に仕事を押しつけることをエンパワーメントと勘違いしている人がけっこういます。そういう人は、部下の手柄を平気で自分の手柄にすり替えるものです。

エンパワーメントとは、言うなれば、部下への「投資」です。リターンのことだけ、それもあなたと部下のリターンだけを考えるのは、株価を見て一喜一憂しているアマチュア投資家と何ら変わりません。プロの投資家は、リターンのみならず、リスクについても考えるものです。同様に、エンパワーメントという投資には、顧客へのリスク、裏返せばビジネスへのリスクも等しく考慮しなければならないのです。このことを、上司、部下ともに再認識すべきでしょう。

顧客に対してやらなくてはいけない仕事を一〇〇とした時、部下がやれるレベルがXだったら、「一〇〇－X＝自分の仕事」と心得ている人が真のマネジャーです。結果、X＝一〇〇となった時には、その人は部下に仕事を与えて、上に行くか去って行くかのどちらかです。その会社で、もう自分のやる仕事がなくなったら当然そうすべきでしょう。しかしプロフェッショナルなら、次から次に新しい事業機会を創り出すことができるので、実際にそうはならないのです。

もう一度、言います。顧客には、上司や部下の関係など、どうでもよいことなのです。そして、プロフェッショナルはいつも顧客のことを考えなければならないのです。

一流の条件：学び続ける姿勢

ビジネス・プロフェッショナルは、己の技量を、けっして極端な話ではなく、一生かけて磨き続ける覚悟ができている人であり、それを愉《たの》しめる人でしょう。

我々は、組織に生まれ、組織に生き、組織のなかで死んでいきます。しかし、多くの人々が組織についてあまりに無知です。なぜなら、たいていの人がマネジメントに関する専門知識や技能を学び、実践することなく、学生時代の「青臭い組織観」で考え、判断を下したり、行動したりしているからです。書生論も時には新鮮な視点をもたらしてくれることもありますが、えてして風紀委員のごとく、とかく規則やルールを振りかざしたり、時代錯誤のガンバリズムを奨励したり、論理よりも感情が先行したりと、とてもマネジメントと呼べる代物ではありません。

このような青臭い組織観は、どこの会社にも見られます。日本の組織はその一大名所といえるでしょう。その昔学級委員だったとか、生徒会をやっていたとか、体育会の主将だったとか、静かに自慢する人がいますが、このような人たちはたしかに調整能力には優れています。しかし困ったことに、これをマネジメントやリーダーシップの能力と勘違いしているものですから、せこい権力をくれてやるとすぐ官僚主義に走ったり、ビジネスをやらせても学園祭のクレープ屋程度のセンスしかなかったりと、まったく口ほどにありません。何か問題が発生しても、是々非々の意思決定や泥縄の対応しかできません。

組織とは、文字どおり“organization《オーガニゼーション》”、そう、さまざまな要素が複雑に絡み合い、環境によって変化する有機体なのです。若き日の半径一〇メートル内の経験やちょっと理論をかじった「門前の小僧」程度の知識で、どうにかなるはずがありません。このような人たちが議論したりするから、よけいこんがらがってしまう。「下手の考え、休むに似たり」とはこのことです。やはり、基本から体系的に学び、身をもって実践し、その経験を咀嚼・蓄積し、その実学の知を自分以外のだれかのために提供するという訓練を積んだビジネス・プロフェッショナルが必要なのです。

企業といった営利組織のみならず、官公庁、自治体、大学、病院、はてはマンション管理組合や町内会といった非営利組織であろうと、マネジメントに関する専門知識や技能、そして現実世界での経験は、どのような組織にも必ずや貢献します。実際、マッキンゼーのみならず、ボストンコンサルティンググループやベイン・アンド・カンパニーといった世界的なコンサルティング・ファームは、企業だけでなく、国や自治体、さらには「資本主義なんか大嫌い」という美術館やオーケストラといった組織にもコンサルティングを提供して、みんなを「あっ」と言わせるような成果を上げています。とにかく、真のビジネス・プロフェッショナルは至るところで求められており、今後ますますそのニーズは高まっていくと強く申し上げたい。

「定年まで勤め上げた後は、やりたかったことに没頭したい」というビジネスマンが案外多いものです。それはそれで結構ですけれど、私はめでたく定年を迎えた経営者の方々を数え切れないほど見てきましたが、趣味というものは、まず毎日は続かないもので、やはりほどほどがよいのです。実際、財もある、時間もある、とはいえ一年中旅行しているわけにも、骨董集めに勤しんでいるわけにもいかず、だれもがいい加減飽きてしまう。すると、まだ子分たちが会社に残っているのをいいことに、頼まれてもいないのに御意見番を買って出て、経営方針や人事に口を挟んだり、ＯＢ連中を動かしてシャドー・キャビネットを組閣したりし始めます。

たしかに出世競争を勝ち抜き、サラリーマンとしては「あがり」までたどり着いた成功者でもあるのですが、こういう老害を撒き散らす御仁に、およそビジネス・プロフェッショナルはいません。また、人恋しさに、地域のコミュニティ活動やボランティア活動に参加しても、いきなり名刺を差し出して、だれも尋ねていないのに「私、以前は○×社で取締役をやっておりまして」などと切り出してしまう。いやはや――。ちなみに、こういう野暮な輩はビジネスマンよりも公務員に多いそうですが。

一方、ビジネス・プロフェッショナルと評するに値する人たちに定年という概念はありません。なぜなら、本人が好むと好まざるとにかかわらず、その人の力を借りたいと申し出てくる人や組織が後を断たないため、世に言われる「定年後の余生」はきわめてエキサイティングで、のんびりしようにも世間が許してくれないのです。ゼネラル・エレクトリック（ＧＥ）のジャック・ウェルチは愛人問題や世間の常識を逸脱した退職手当などで、経営者としての晩節を汚しましたが、それでも依然引っ張りだこです。私も世界各地の講演会で彼に出くわします。今年はメキシコ・シティやミラノなどで一緒でした。

また、プロフェッショナリズムが体に染みついている人たちですから、いい加減な仕事を嫌います。ですから、相変わらず勤勉であり、老体にムチ打ってでも現場に足を運び、わずかな報酬であろうと、一生懸命働きます。ここで、一部修正させていただきたい。ビジネス・プロフェッショナルのことを、さきほど「己の技量を一生かけて磨き続ける覚悟ができている人」と述べましたが、正確には「磨き続けてしまう人」たちであり、その知的好奇心は飽くことがありません。

私は、ヤマハの中興の祖、川上源一氏、そしてソニーの創業者の一人である盛田昭夫氏のお二人とはその生前、公私共におつき合いする機会が多かったのですが、この二人の質問攻撃は、たとえるならばマシンガンでした。また、かつての私の同僚でもある、ＩＢＭの前ＣＥＯ、ルイス・ガースナーもそうです。

一九九三年、ＩＢＭに招かれた当初、彼はコンピュータについて門外漢もいいところでした。彼はアメリカン・エキスプレスやＲＪＲナビスコにいましたが、私がアメリカに来ているのを聞きつけると、すぐ電話をかけてきて、「明日、朝食でもどうか」と誘ってきます。翌朝、食事の席に赴くと、あいさつそっちのけで「最近の世界のカネの動きで変わったことは？」「韓国のビスケット業界でＭ＆Ａできそうなところは？」など、根掘り葉掘り聞いてきます。朝飯をおごってもらうとはいえ、「わずか二〇ドル足らずで、よくもまぁ、あれこれ質問してきやがるなぁ」とうんざりするくらい聞いてきます。

こちらもお人好しのところがあるので、ついつい答えてしまうのですが、ガースナーは重度の知りたがり病です。ＩＢＭに関しては、私がマッキンゼーの全世界の責任者でしたから、就任早々ＩＢＭという会社について、また業界の動向について矢のような質問を受けました。日本にいる私ではとても対応できないので、ニューヨーク事務所のディレクターを中心にチームをつくってあげました。

成功するには、成功したいと願い、必ず成功すると信じる気持ちが欠かせないといわれます。私は、これまで何百人、何千人という経営者の方々と会ってきましたが、そのような気持ちはあくまで必要条件であって、それだけではダメです。離陸し、上昇し、軌道に乗せるまでのブースターみたいなもので、そこから先は知的好奇心というエネルギーがなければ、一流と称される域には達しえないのです。この点も、非凡と平凡を分ける決定的な要素といえるでしょう。

「知的怠慢」を排す

たいていの人が「自分の限界を、自分で決めて」います。そのほとんどが、かなり手前に設定されています。なぜなら、いままでの経験と相談するからです。これは楽チンです。おそらく失敗しないで済むでしょうから、周囲から怒られることもなければ、バカにされることもありません。ですから、現実的で、賢い判断と言えなくもありません。しかし、私に言わせれば、小賢《こざか》しい考えでしかなく、そのような人は「できるわけがない」と思ったとたん、すぐ諦めてしまう。これこそ「知的怠慢」なのです。

私は、これまで幾度となく、知的怠慢を戒めるよう、訴えてきました。ビジネスでもそうですが、ほどほどで満足する気持ちや態度が、当人のみならず、周囲の人々にも害を振り撒きます。この手の人は、就職ランキングのトップテンに入る人気企業に多数生息しています。困ったことに、周囲が認める一流企業に入社したこと、所属していることに満足して、勤めている会社の評価が自分の評価であるかのように錯覚しているのです。ですから、会社が変わらなければいけない時、事業を方向転換しなければならない時、このような知的怠慢の人たちが決まってボトルネックになります。勤務態度も業績もやはりほどほどの水準ですから、むげに扱うわけにもいかず、よけい始末が悪い。

産業界における世界共通認識の一つに「企業変革の敵はミドル」というものがあります。もちろんミドルとは中間管理職のことですが、私はここに「知的好奇心の水準がミドルの人」という新しい解釈を提示したい。

知的好奇心が中途半端な人、すなわち知的に怠惰な人は、ほぼ例外なく自己防衛的で、変化に後ろ向きです。なぜなら、チャレンジ精神とまではいいませんが、新しいことへの興味に乏しいからです。常日頃から、目新しいこと、自分の知らないことを貪欲に吸収しようという姿勢が身についていませんから、いざという時、心理学でいわれる「ファイト・オア・フライト」（抵抗するか、逃げるか）になってしまう。

知的怠慢の悪影響は社内だけにとどまりません。さきほど、ビジネス・プロフェッショナルはいつも顧客を最優先に考え、最高の価値を届けなければならないと申し上げました。したがって、ほどほどの出来で自分に合格点を出してしまう人は、そのキャリアが十分ベテランの域に達していようとも、およそビジネス・プロフェッショナルと呼ぶことはできないばかりか、顧客にすれば、あまり喜ばしいことではありません。何しろ、ほぼ間違いなく、顧客への興味にも乏しいでしょうから――。

可もなく不可もなくという平均点の仕事は、顧客の成長に貢献することはまずありえません。競争や技術変化が激しい市場で戦っている企業の場合、足を引っ張られることもありえます。むしろ、まだまだ半人前だけれども、顧客のために全身全霊を傾けるルーキーのほうが頼りになるというものです。

規律の力

知的怠慢とは、みずからの成長を放棄することです。また、顧客に最高の価値を提供することを諦めることです。このような人たちが増えていけば、組織は活力を失い、やがては立ち行かなくなってしまいます。

そこで、このように捻じれた心を解きほぐし、何とか更生させようと、どこの企業でも研修や福利厚生を充実させてきました。最近では、昔のように叱ったりすると、かえってやる気を失ったり、逆にパワー・ハラスメント（職位や権限の力でいじめや嫌がらせをすること）と非難されかねないということで、上司たちにコーチングやファシリテーションを勉強させて、やんわりと動機づけるのが主流になりつつあるようです。

実際、日本企業の社員教育は、ハードの面でもソフトの面でも、大変充実しています。これを売り物にしている企業すら、あるくらいです。私もいまでは大学経営に携わる身ですから、あれこれ申し上げたいことがありますが、あえて一つ苦言を呈するならば、「規律」が確立されていない環境でいくら教育しても、成果は上がらないということです。コンサルティングの現場では、いくら一流ビジネススクールで学んだ知識でも、まったく通用しないことなど日常茶飯事ですし、時には捨て去らなければならないことすらあります。

いくら教育制度を充実させても、また報酬や福利厚生を厚くしても、プロフェッショナルを大量生産することはできないのです。そうではなく、規律——あるいは価値観といってもよいかもしれません——が、プロフェッショナルを育てるのです。「マッキンゼー中興の祖」といわれるマービン・バウワーは、そのことをよく心得ていました。

マッキンゼーにおける規律とは、繰り返しますが、「顧客を最優先に考え、最高の価値を届ける」ことです。そのために、コンサルタントたちはセルフ・ディベロップメントに努めるわけです。そうでなければ、顧客から信頼されることもなければ、同僚から評価されることもありません。また、ありふれた平均点のソリューションを提案して平気な顔をしていようものなら、顧客からは失望が、同僚からは軽蔑が容赦なく投げつけられます。

この規律とは「up or out《アップ・オア・アウト》」、すなわち「昇進しない人間、伸びていない人間は去れ」というものです。問題解決能力、チーム・マネジメント、顧客に変化を生み出す能力など、レベルによって要求される能力は違います。これを入社後の年数でグリッド（階級）をつくり、その範囲で能力を伸ばしていない人には、退社を勧めるのです。毎年二〇パーセントが退社するわけですから、同期の桜が一〇〇人いても四年後は二〇人になります。これがルールであり、顧客に迷惑をかけない唯一の方法だということを知っているからです。

これは社内にかなりの緊張感を生みますが、同時に、死ぬほど勉強することにもなります。また、それだけ勉強するので、たとえマッキンゼーでうまくいかなくても、他社ではお釣りがくるくらいです。だから、去っていく人も活力があり、後味も悪いものではありません。

ビジネス・プロフェッショナルに、「妥協」の二文字は厳禁です。妥協とは自分の都合であって、顧客の都合はもちろん、ビジネス・パートナーの都合なども一方的に無視する、甘えた態度です。妥協することに頓着のない人に、いくら最高の教育を施しても、その学習効果のほどは知れています。いくつかの日本企業が企業内大学と称して、ビジネススクールで教えるカリキュラムと同じような研修を実施していますが、もしこれでビジネス・プロフェッショナルを育成できると考えているとしたら、ずいぶんと無駄な投資ではないでしょうか。

私はマッキンゼーの東京事務所で使っていた、当時の教育システムを再現しました。その後の若手の伸び方を見ていて、日本でもこれは効果絶大、という確証を持ったからです。いまビジネス・ブレークスルー（bbt757.com）で提供しているプログラムやMBAのコースは、講師まで含めて当時のままです。ブロードバンドのおかげで世界中に出向している社員の人にも同じレベルの厳しいトレーニングを提供できるようになりました。

かつてアメリカの『フォーチュン』誌が、何とも酔狂な企画を掲載したことがあります。それは「マッキンゼーとGE、はたしてどちらが優れた組織か」というもので、優秀な経営者をどれくらい輩出したのかを比較したのです。その結論は、エリートを集めたマッキンゼーも地方大学出身の多いGEも、管理職のその後（他社に移った後）の経営能力において、甲乙つけ難いというものでした。両社の本質は同じです。規律の存在と徹底した社内教育プログラムの存在です。

GEが人材教育に熱心だったことは有名です。全世界に二十数万人の社員を抱え、何種類もの異なる事業を展開していますから、一般的な企業同様、さまざまな階層や職種向けの知識教育や技能研修もちゃんと用意されていますが、いちばんの狙いは「GEバリュー」と呼ばれる規律の徹底にあります。これは主としてクロトンビルの経営研修所（一九五三年、GEが次世代リーダーを育成する目的でニューヨーク州クロトンビルに設立した企業内大学）で行われています。日本では、評判の悪い成果主義の権化みたいにGEは見られがちですが、どんなに高い業績を上げていても、このGEバリューから逸脱した人は低い評価しかもらえません。これが何回も続くと、「さようなら」です。

二〇〇一年の九・一一同時多発テロ以降、アメリカ航空業界全体が低迷していたなかで、サウスウエスト航空だけが一人、気を吐いていたのも規律の力です。京セラがあそこまで巨大になっても、起業家精神を失わずにいるのは、稲盛和夫氏の経営哲学が組織に浸透しているからです。ＩＢＭのサミュエル・パルミサーノがガースナー改革の後、トーマス・ワトソン・シニアの「基本的信条」に立ち返ったのも規律の力を信じてのことです。

さて、ここでプロフェッショナルについて私なりの定義をしておきましょう。すでに述べたように、一つの視点は顧客に対するコミットメントです。これがスペシャリストやゼネラリストと、プロフェッショナルを隔てるものであることは、次のような例を考えるとよくわかります。

スペシャリストはいわゆる専門家です。会計士であればすべてのルールに精通し、間違いなく会計処理ができます。しかし、顧客が次第に多国籍化して、通貨も税制も異なる国での操業が増えてきます。法律というものは、スペシャリストの集団である官僚や協会（業界団体）によってつくり替えられていくわけですから、常に時代よりは遅れていく運命にあります。こうした状況を読みながら顧客を正しく導いていくのが会計のプロフェッショナルです。ルールがあれば、コンピュータに吸収される仕事ならできるスペシャリストに対して、道なき道、ルールのない世界でも「洞察」と「判断」をもって組織を動かしていけるのがプロフェッショナルです。これは顧客に関する深い洞察と、そこに働いている力、つまり「Forces at Work《フォーシズ・アット・ワーク》」への理解がなくてはできません。正しい答えがなくても、いろいろな状況を想定して、正しい対処をしていくことは可能なのです。

先の見えない二一世紀の経済世界においては、正しい答えがない場合がほとんどでしょう。ボーダーレスでサイバーな経済に官僚や業界が追いつくことなど、当面まったく考えられません。だからこそ、「方向」に関して、また「程度」に関して適切なアドバイスのできるプロフェッショナルが必要とされているのです。

一方、ゼネラリストではなぜだめなのでしょうか。なぜ不十分なのでしょうか。これも「性格の変わる」(sea change) 場面、というシチュエーションに置かれている現代を抜きにしては語れません。ゼネラリストとは、役割を変えても通用する万能薬のようなスキルです。経理をやらせても、購買をやらせても、人事を任せても、そつなく業務を遂行できる人間のことです。これらの人々は、専門分野の知識はある程度勉強すれば身につくと考えます。むしろ大切なのは、組織を動かすのに不可欠な人や、業務の流れ、意思決定のプロセスなどについて熟知しており、また、ボトルネックを次々に解決していく力を持つことです。

組織に関する「マーフィーの法則」は、大半の人々が自分の得意分野で能力が頭打ちになり、陳腐化するというものですが、スーパー・ゼネラリストはどこまで昇進しても新しいスキルを身につけ、その問題解決能力に衰えは見られません。しかし、こうしたスーパー・ゼネラリストでも、いま壁に突き当たっています。企業を取り巻く環境が様変わりしているからです。世界を見渡せば、ＢＲＩＣｓの台頭があります。長らく欧米世界や東南アジアを見ながら育ってきた人にはまったくといっていいほど「土地勘」はありません。

業種によっては、目に見えないサイバー社会が大きく収益にも影響するようになりました。銀行借入れが市場からの直接金融になるだけではなく、デリバティブやヘッジングなどのマルチプル（倍率）経済が、突然、通貨や株価を揺さぶっています。スーパー・ゼネラリストが組織を動かすのがいくらうまくても、既存組織と既存スキルでこうした問題に対処できるのでしょうか。

そこが問われているのです。経営を教えるビジネススクールの先生でさえも、サイバー社会で育った生徒たちにかなわない時代です。経営を知っている人よりも、知らない人のほうが経済に大きなインパクトを与える時代です。経営を知らないホリエモンが、フジテレビのスーパー・ゼネラリストとして誉《ほま》れの高かった日枝久会長を、赤子の手をひねるように土下座させました。マイクロソフトのビル・ゲイツがアメリカのコンピュータ業界のエスタブリッシュメントを総ナメにしたと思ったその瞬間、スタンフォード大学の大学院生二人が起業したグーグルが、サイバー・ジャングルの水先案内人（検索）として時価総額九兆円の企業となっています。

時価総額が企業収益の正味現在価値ではなく、「将来占領するであろう領土の生み出す総価値」（『新・資本論』東洋経済新報社）を表すようになりました。生まれたばかりの企業が、一〇〇年続いた企業よりも高い価値を与えられているのです。これは何を表しているのでしょうか。

二一世紀の経済社会は「見えない空間」との戦いです。見えている人や組織を動かすのではなく、見えていない経済社会を切り取って、そこに人や組織、場合によっては自社以外の人や組織、あるいは不特定多数を追い込んでいく作業です。

顧客といっても「触《さわ》れる顧客」ではないかもしれません。いまの顧客も変質するかもしれません。いまの顧客は氷のように溶解してしまい、想像もつかなかったような人々、企業、不特定多数が顧客になるかもしれません。プロフェッショナルに要求される「顧客」への理解、というのは、そのレベルの理解なのです。

このためには、見えないものを見る力、構想力、分析する力、インテグレート（合成する）力、そして何よりも二一世紀経済に対する正しい理解と洞察が必要です。『新・資本論』『ボーダレス・ワールド』『21世紀維新』（文藝春秋）などの著書で、私はこうした新しい経済社会の記述を行ってきました。

みなさん、プロフェッショナルを目指すには、さまざまな「重力」に抗《あらが》わなければなりません。

「やはり自分がかわいい」

「平均点そこそこでかまわない」

「辛いことや難しいことはやりたくない」

「だれかに怒られたくない」

「失敗したくない」

「縛られたくない」

おそらく、だれもが思っている本音なのでしょうが、これらに流されることなく、ぐっと押し殺す。そうです、プロフェッショナルは感情をコントロールし、理性で行動する人です。専門性の高い知識とスキル、高い倫理観はもとより、例外なき顧客第一主義、あくなき好奇心と向上心、そして厳格な規律。これらをもれなく兼ね備えた人材を、私はプロフェッショナルと呼びたい。

厳しすぎるでしょうか。私はそうは思いません。まだ足りないと思っているくらいです。本書では、そうした社会で活躍するプロフェッショナルの持つべき能力について記述したいと思っています。

プロフェッショナルは状況が変わっても、変わらぬ力を発揮します。野球でいえばイチローと松井秀喜がプロフェッショナルというにふさわしいでしょう。アメリカというまったく異なる環境でトップ・アスリートの地位を確立しているのです。これは日本のスキルを持ち込んだのではなく、アメリカに適応した新たなスキルを身につけたからだと思われます。一方、多くの「日本のヒーロー」が大リーグで討ち死にしているのは、彼らが日本のベースボールのスペシャリストにすぎなかったことを物語っています。

スペシャリストは与えられた環境に適応して、その場その場において定められたやり方ではだれよりも正しく、早く、上手に仕事をこなせます。ゼネラリストはどんな職能についても業務執行能力だけは抜群です。スーパー・ゼネラリストは地位が上がっても地域が変わっても、ゼネラリストとしての能力に変わりがありません。一方、プロフェッショナルは、どんなに大きく前提条件が変わってもその底流にある変化の本質を読み取り、だれよりも能力を発揮します。また組織の長としては、当該組織を誤りなき方向に導き、発展させます。

いまはあらゆる業界、あらゆる組織が過渡期にあります。言い換えれば、我々一人ひとりがイチローや松井のように新しい環境に立ち向かう気概が必要なのです。

「日本のなかだけで通用すればいい」

「サイバー社会のことはわからない」

「ジョージ・ソロスは悪魔だ」

「やがて中国の崩壊が始まる」

と言っていても始まらないのです。二一世紀社会には逃げ込む押し入れはありません。二一世紀社会は、勝者と敗者がいままでよりもはっきりすることは、すでに既定の事実なのです。

あなたはどちらになるのでしょうか。それは、あなた自身のこれから先の生き方によります。まだ始まったばかりのこの経済社会。やり方によってはいくらでもプロフェッショナル・スキルは身につくものです。次章から、チャレンジを始めてみてください。

第2章◉

先見する力

「見えざる新大陸」の登場

私たちの目の前には、新しい「ビジネス・ジャングル」が、決定的な一手でオセロの石がひっくり返されるようにドラスティックに、タイフーンが建物や家々を蹴散らしていくように情け容赦なく、旧い経済世界を侵食しつつあります。ただし困ったことに、このジャングルそのものを、またその猛威のほどを目で確認することができません。まさしく「見えざる新大陸《インビジブル・コンチネント》」の登場です。

旧い経済世界では、目に見え、手で触ることのできる「タンジブル」な活動、メーカーならば、新しい技術を開発し、これを商品化し、工場で生産し、輸送し、店頭で販売することで、サービス業ならば、建物や乗り物を用意して、これを使ってサービスを提供することで富を創出してきました。つまり「工業化社会」です。日本では、高度成長期の牽引役を務めた電機メーカーや自動車メーカーの成功はこの工業化社会のルールをいち早く理解し、これを忠実に実践したからにほかなりません。

しかし、見えざる新大陸では、もちろんこれまで主役を務めてきたタンジブルな活動も存在し続けますが、その名が示唆するように、目に見えず、手で触ることのできない「インタンジブル」な経済活動が主流となります。かつての輝かしい成功体験はほとんど役に立たないばかりか、むしろ足かせになることもあるでしょう。

実際、他の産業よりもいち早くグローバル化とデジタル化の波が訪れた金融業界をはじめ、二〇世紀後半に台頭したＩＴ産業、また単に肉眼で確認できないという意味を超えて、ゲノムに代表されるライフ・サイエンス分野など、日本は明らかに後塵を拝しています。当時の大蔵省や通産省がバカだったとか、これらの新境地を開拓できる強力なリーダーがいなかったとか、いろいろ理由はあるでしょうが、すべてに共通する決定的な原因は「工業化社会のルールで考え、行動した」ことにほかなりません。

つまり、工業化社会というタンジブルな経済は、お払い箱とはいいませんが、もはや主流ではなくなっているわけです。実際、たいていの人が「脱《ポスト》工業化社会」「脱《ポスト》資本主義社会」、あるいはまったく異なる表現として「知識社会」といった言葉を耳にしたり、関連する書籍を読んだり、新しい経済社会の訪れを実感したことがあるはずです。ですが、タンジブルな経済に代わるインタンジブルな経済の台頭を理解できていません。まったく「百聞は一見にしかず」とはよくいったもので、見えないから信じない。

しかし、マイクロソフトやリナックス、オラクルやＳＡＰといったソフトウエア会社の成功はどうでしょう。まさしくインタンジブルです。シスコシステムズやデルは工場や倉庫を持っていません。ラグジュアリー・ブランドを多数抱えるモエヘネシー・ルイヴィトンやリシュモン・グループなどが高収益を誇っているのはなぜでしょう。コカ・コーラやマクドナルドが世界中で展開できるのはどうしてでしょう。いずれもインタンジブルな資産の賜物なのです。

この新大陸は見えなくて、手で確認できないばかりか、やっかいなことに、次元の異なる複数の経済が、相互に作用を及ぼしながら混在しています。すなわち、これまでどおりの「実体経済」、中国やインド、南米、北欧や東欧、ロシアなど、新興国の台頭によって、いまやほぼ常態化してしまった「ボーダーレス経済」、インターネットがつくり出した「サイバー経済」、そしてこれら三つの経済の特性を組み合わせながら、乗数的に富を創出する「マルチプル経済」が、ある時はそれぞれに主張し合い、ある時は渾然一体となり、二〇世紀後半から、人々を惑わしてきました。

私は、ビル・ゲイツがマイクロソフトを創立した一九八五年を「ゲイツ元年」と命名し、それ以前をＢＧ《ビフォア・ゲイツ》、それ以後をＡＧ《アフター・ゲイツ》としたのですが、ＡＧに突入し、インターネットが本格的に普及し始めた時、よく「ドッグ・イヤー」という言葉が使われました。これは、イヌの時間はヒトの時間の七倍のスピード、言い換えれば、二カ月弱が一年であることに由来するのですが、要するに、世の中は二、三カ月で塗り替えられていくというわけです。私たちは、好むと好まざるとにかかわらず、すでにこのような新しい経済空間に身を置いています。むろん、後戻りはできません。

しかし、この事実をいったいどれくらいの人が理解し、その厳しさを認識しているでしょうか。少なくともここ四半世紀の間、ほとんどの人たちが、この見えざる新大陸の存在を正しく認識できずにいました。その結果、時として大きな悲劇が生まれました。その典型的な例が、学習することの意義を人一倍重視していたエドウィン・ランドが創業したポラロイドの凋落でしょう。

二〇〇一年一〇月、ポラロイドは連邦破産法第一一条《チャプター・イレブン》、いわゆる日本における会社更生法による再建を申請しました。経営資源が不足していたわけでも、ライバルより劣位のポジションにあったわけでもありません。それどころか強力なブランド、優れた技術陣を備え、流通も販売もグローバルに展開していました。実際、一九八〇年初頭に初めてデジタル写真事業への投資を開始したのは同社です。それを突然、破産に追い込んだのは、デジタル写真事業における誤算でした。

見えない大陸での生存競争に情け容赦はありません。そもそも情けを乞う暇もなければ、乞うべき相手の姿も見えないのです。いまや大企業のホワイトカラー、あるいは町工場の経営者、山村でささやかな商いを営む店主さえも、例外なく見えない大陸の住人であり、うかうかしていては競争と淘汰の波に飲み込まれてしまいます。

ポラロイドの悲劇の終結を待つまでもなく、フィルム事業にも未曾有の危機が押し寄せています。すでに二〇〇五年五月には、イーストマン・コダックや富士写真フイルムと並び、フィルムの世界三大ブランドの一角をなしていたドイツのアグフア・フォトが破産手続きを申請しました。従来型のフィルム事業を続けてきた老舗企業の業績低迷は、デジタルカメラの台頭によるものです。数年前に、だれが携帯電話の半数がデジタルカメラを搭載すると予測していたでしょうか。

これからは勝ち残り組であるコダック、富士フイルムさえも、単なるリストラでは追いつかないほどのデジタル・ネットワーク革命の荒波に揉まれることでしょう。私たちは、いかなる戦略論でも対応できない「産業の突然死」と隣り合わせにいるのです。

戦略論の功と罪

ポラロイドの失敗の本質とは何だったのでしょうか。それは、成功の「型紙」をやみくもに信じてしまったことです。垂直統合にこだわった経営陣、短い商品サイクルに不慣れな技術者、経済空間の変容を認識できなかったマーケターなど、過去の成功体験が通用しないことに気づかなかったことが、この悲劇を生みました。

二一世紀のビジネス・プロフェッショナルに求められる条件を「型紙」、すなわち過去の「戦略論」に求めることには大きなリスクが伴います。一部のエリートが最新理論を学び、戦略なるものを立案し、これを粛々と実践することで成長できた時代は終わりました。一世を風靡した幾多の戦略論は、残念ながら二一世紀の混迷するジャングルを生き抜く切り札とはなりえません。

とはいえ三〇年前、日本に戦略論を持ち込んだのは私自身です。当時、私は企業戦略を「競争相手との相対的な力関係の変化を、自社にとって効率よく変化させるべく計画する作業」と定義しました。そして、この力関係を変化させる方法として挙げたのが、「成功のカギ（ＫＦＳ）に基づく戦略」「相対優位に基づく戦略」「新基軸の展開による戦略」の三つです。

ＫＦＳに基づく戦略

経営資源の配分に競合相手のそれよりも濃淡をはっきりさせ、ＫＦＳに資源を集中させることで、自社のシェアや収益性における優位性を勝ち取る。これはとりわけ、同じような経営資源を抱える競合他社との競争において有効である。

相対優位に基づく戦略

第一の戦略に対し、競争の条件が同一でないことに着眼して相対優位を確保する。直接は競合しない製品に関する技術、販売網、収益構造などを当該製品における競争に反映させる、あるいは資産の内容における相対的な差を利用するケースがこの第二の戦略に該当する。

新基軸の展開による戦略

相手がやらないことを積極的に展開し、市場を切り拓いていく。新基軸を打ち出し、競合他社の追従を許さないように有利に戦いを進めるのがこの第三の戦略である。

その後、成功の型紙としての戦略論は洗練を重ね、多くが学ぶところとなりました。戦略論は一般的に、ハーバード・ビジネススクール教授のマイケル・E・ポーターに代表される「ポジショニング論」、ミシガン大学ビジネススクール教授のC・K・プラハラッドとロンドン・ビジネススクール客員教授のゲイリー・ハメルの「コア・コンピタンス」、あるいはオハイオ州立大学教授のジェイ・B・バーニーのリソース・ベースト・ビューなどの原点にある「組織能力論」に大別されます。

いずれの理論も、一定の条件下では間違いなく、いまなお有効でしょう。しかし、こうしたフレームワークや発展の道標は、二〇世紀後半の安定的成長が見込めた工業化社会、つまり製造を中心とした経済に登場したものです。いかに複雑化、高度化されようとも、モノをつくる経済下では、商品、競合、市場の動きを追うことができます。新しい商品やサービス、事業を開発する場合も、ターゲットとなる顧客や市場を具体的に定義することができました。だからこそ、そこで何を目指し、どうすれば実現できるかを論じる戦略論が有効に機能したのです。

二〇世紀末の十数年間で、もはや戦略論の前提となる要素、つまり顧客、市場、競合を固定的に定義することはできなくなりました。従来の産業分類が用をなさなくなっていることはだれの目にも明らかです。

それなのに、いまなお戦略論を信奉する人々が絶えません。ツールを知ったところで使い方を知らなければ、誤った前提のうえに解決策を立案することとなり、それは徒労というものです。ツールの使い方を習得するということは、みずからの力であらゆる事象のプロセスを発想し、思考することにほかなりません。

いくら高度に洗練された先人たちの戦略論であろうとも、成功への道筋を考えるヒントにはなるかもしれませんが、正しい答えを導いてくれるとは限りません。前例のない現象を過去のフレームワークや知識に照らして解釈すること自体の危うさを肝に銘じるべきでしょう。

パーソン・スペシフィック
タイミング・スペシフィック

ごく少数ではありますが、旧来の戦略論が通用しない新大陸で未曾有の成功を収めた先人には、新しい経済大陸のランドスケープが見えていました。シスコのジョン・チェンバース、シーベル・システムズのトム・シーベル、デルのマイケル・デルなどです。ジャングルの彼方に彼らの背中をとらえることはできるでしょうが、彼らのたどった道を踏襲しても無意味です。なぜなら、その成功は「パーソン・スペシフィック」（人材次第）で、かつきわめて「タイミング・スペシフィック」（タイミング次第）だからです。その時機に、その人物であったからこそ拓けた道であり、そこに学ぶべきヒントはあっても、残念ながらその先に同じ成功はありません。

シスコに成功がもたらされたのは、ジョン・チェンバースという逸材を、一九九一年というタイミングに得たことに尽きます。彼はＩＢＭ、ＷＡＮＧラボラトリーズを経て、営業担当の上級幹部としてシスコに参画しました。顧客の声に即応するウェブ・ベースのオペレーションを構築し、売上げ規模八〇〇億円の新進ベンチャーを時価総額世界一のリーディング・カンパニーへと育て上げたのです。

チェンバース自身の成功もまた、きわめてパーソン・スペシフィック、かつタイミング・スペシフィックといえるでしょう。前任者から事業を任されたのは、シスコが成長する初期過程というタイミングでした。そして、ＥＲＰ（基幹業務パッケージ・ソフト）市場最大手のソフトウエア・メーカー、ＳＡＰのＥＲＰが利用可能なタイミングで、エド・コゼールという天才的ＣＴＯ（最高Ｒ＆Ｄ責任者）を得たのです。彼の入社が五年遅ければ、シスコという会社も彼自身も、まったく違う歴史を経験していたかもしれません。

新大陸に千載一遇のタイミングで登場し、経済世界の常識あるいは価値観そのものを塗り替えた逸材といえば、リーナス・トーバルズもその一人です。チェンバースがシスコに入社したその年、フィンランドの大学に学ぶ一人の若者が〈リナックス〉を発表しました。それは、一九八五年に発表されたマイクロソフトの〈ウィンドウズ〉が設計ソースを極秘にすることでグローバル市場を掌中に収めつつあった、まさにその時でした。

〈リナックス〉は、王者〈ウィンドウズ〉とはまったく逆の方法、すなわちソフトウエアの設計図にあたるソースコードを、インターネットなどを通じて無償で公開し、だれでもそのソフトウエアを改良し、再配布できる「オープン・ソース」を採用したことでシェアを広げ、IBM、インテル、オラクルなどを巻き込みながら急成長しました。ヒューレット・パッカードが〈リナックス〉採用機を発売したほか、アジア市場限定とはいえ、大手が〈ウィンドウズ〉以外のOSを本格採用したのも初めてでした。オープン・ソースという哲学が、グローバル市場の主流になるかどうかはわかりませんが、強大な組織でなくても、一人の個人が経済常識を根底から揺さぶるムーブメントを起こせる時代であることがまさに証明されたのです。

当時は、なぜ北欧にリーナス・トーバルズのような頭脳が出現したのかと首をひねる人もいたようですが、見える人にはその伏線が見えていました。フィンランドに限らず北欧各国は、福祉先進国というだけでは二一世紀を生き残れないという危機感から、本格的なIT社会の到来に備えていたのです。一九八〇年代には教育制度の大改革に着手し、政府のバックアップを受けた産学連携、官民の役割分担によるベンチャー支援などハイテク産業の育成にも国を挙げて取り組むほか、IT社会に合わせた法整備も進めてきました。いま、北欧諸国がIT系の人材輩出国として急速に存在感を強めているのは、その成果なのです。

ちなみに、ゴム長靴やテレビのブランドから、世界的な通信端末メーカーへと華麗なる転身を遂げたフィンランド企業、ノキアの成功もきわめてパーソン・スペシフィックかつタイミング・スペシフィックなものでした。同社は一九九二年というタイミングに、弱冠四一歳にして、シティバンクの元社員、ヨルマ・オリラを社長兼ＣＥＯに迎えました。前任者が会社の遭遇している困難に悩み、自殺を遂げるという悲劇の直後のことです。

オリラは就任直後、自社を取り巻く環境で当たり前のように考えられていたことに対して、「なぜ」という素朴な質問を繰り返しました。そして、倒産の危機に見舞われた会社を立て直すため、携帯電話事業への特化を選択したのです。いわば考え方の転換です。世の中のあらゆる大発明が、無邪気な「なぜ」から発生していることからも明らかなように、発想の転換によって得られる効果は、時として非常に大きいものです。

そのタイミングで一八六五年創業という伝統組織に大鉈を振るうことができたのは、オリラ一人で決断したことではないとはいえ、彼がＣＥＯの立場にあったからこそです。その背景には、フィンランドが通信分野での規制緩和を行ったというタイミングの妙もありますが、当時の社内には、その後一〇年余りにわたるノキアの大躍進を予想できた者は一人もいませんでした。

タイミングを逃せば成功はありません。しかも、見えない大陸における経済環境の変化は、二〇世紀のそれより何倍も速く、石橋を叩いて後手に回れば、企業にとっても国にとっても致命的な大損失となります。困ったことに、日本にはまだそこまでの覚悟も危機感もありません。教育改革の青写真を見ても、世界で戦える人材を育てようという気概や意図は感じられません。

こういう話をすると、すぐに日本では、「文部科学省はいったい何をやっているのか」という、きわめて前時代的かつ日本的発想で議論されます。次代を見据えた制度改革はもちろん大切ですが、古い秩序を守ることしかできない国や政府に、ジャングルでの熾烈な競争を生き抜くための解決策を頼るようでは、ビジネス・プロフェッショナルとしては失格です。

これからの世界を動かすのは、国同士の戦いでも企業同士の戦いでもなく、個人同士の戦いです。優れた個人同士の戦いがすべてを飲み込み、一瞬にして世界地図を塗り替えてしまうのです。しかも、戦いの相手は一九九〇年当時のトーバルズのように、世界トップレベルの頭脳であり、どこから現れるかわかりません。

真に有効なソリューションは、ジャングルのなかで、個々のビジネス・プロフェッショナルが各自で見出すほかはありません。それには、だれの目にも見えないものをだれよりも先に明確に認識する力と、ビジネスチャンスを見出した瞬間に最高の方法でそれをもぎ取る気概が必要なのです。

先見力の変質

先見力という能力そのものは、いまにして求められたものではありません。私は一九七〇年代に「先見性の研究」という論文を発表しましたが、一九九九年に新装版『企業参謀』(プレジデント社)を出版した際、これを「先見術――成功パターンを透視する必要・十分条件」として巻末に付しました。ただし、当時の企業経営に求められた先見力は、比較的シンプルであり、合理的に推論することが可能でした。同書のなかで、私は次のように記しています。

「数々の成功した事業の例を見ると、確かに先見性に富んでおり、予言者の意思に基づいて進んできたかのような印象は受けるが、その背景には実に首尾一貫した〝成功のパターン〟が透視される。これを先見性の必要・十分条件と呼んでもよい」。そして、その必要・十分条件として、次の四つの要件を挙げました。

・事業領域の定義が明確になされている
・現状の分析から将来の方向を推察し、その因果関係についてきわめて簡潔な論旨の仮説が述べられる
・いくつかの可能な選択肢のうち、比較的少数のもののみを採択し、選択した案の実行に当たってはかなり強引にヒト・モノ・カネを総動員する
・基本仮定を見失うことなく、状況がまったく変化した場合を除いて原則から外れない

これら四つのプロセスを踏み、成功を収めた事業家たちは、後に「先見性があった」と評されました。「これなら自分にもできそうだ」と感じた人も多いはずです。実際、同書を読んだ日本のメーカーからは、多くの引き合いがありました。私が協力し、合理的な推論から起案・構想された商品やビジネス、世界的なイノベーションのほとんどは、一九八〇年代から一九九〇年代の半ばにかけて実現され、成功を収めました。ステレオ・コンポーネントしかり、デジタル・ウォッチしかり。〈QBハウス〉のように、最近になってよ

うやく登場したものもあります。

当時は先見すべき商品やサービスが見えました。ですから、そこで求められたのは、天才的なひらめきでも予言者の資質でもなく、事業領域を定義し、現状分析から将来の方向を推察するという一連の論理的プロセスとたゆまぬ遂行力でした。言い換えれば、当時の先見力は比較的容易に「学習」できたのです。

繰り返しになりますが、これからの時代に求められる先見力とは、見えないものを見る力です。だれにでも見えてしまうものに、さしたる事業性は期待できません。とてつもない可能性が眠っている、このジャングルを勝ち抜く力とツールをつかむには、既存の戦略論や過去の成功体験に頼ることなく、常に前人未踏の世界を見ることに集中し、その資質を磨くことが重要なのです。

二〇世紀をアンラーンする

人間の脳には、ご存じのとおり、新しくインプットされる刺激や情報を「過去の経験や蓄積された知識の断片」に照らし、これらと整合するかたちで受容する機能が備わっています。目の前の新しい現実とストックされた古い情報の間で不整合が起きると、この新しい現実を受け容れることを無意識のうちに拒絶したり（見なかったことにする）、あるいは、既存の知識の断片から勝手に推測して、実際とは異なるものを見たりする（錯覚する）こともあります。これは理性を保つための、一種の防衛本能なのですが、この文脈における「過去の経験や蓄積された知識」というフレーズを、常識や固定観念といった言葉に置き換えてみてください。

二〇世紀の常識に照らせば、二一世紀は非常識と突然変異の時代です。旧い世界の常識にとらわれていては、新しい世界の新しい事実を瞬時にとらまえることも、正しい理解もできず、先見などとうてい不可能です。非常識な世界の新しい常識、すなわち二一世紀というジャングルの掟を学ぶには、まずわが身に刷り込まれた常識を一つひとつ疑ってかかるクセを意識的に身につけることが必要です。

たとえば、日本式経営の特徴として、年功序列、終身雇用、ボトムアップ、根回しがいわれています。しかし、年功序列や終身雇用は一部のエクセレント・カンパニーだけが行ったことであって、日本の経営の本質ではありません。戦前も戦後も、日本企業にそのような文化が根づいていたわけではなく、高度成長を経て安定期に入り、秩序が生まれて一時的に現れた現象にすぎないのです。また、企業というものは洋の東西を問わずトップダウンとボトムアップが両立してこそ存在するのであって、日本企業がボトムアップ、欧米企業がトップダウンというのは完全な誤解です。世界に進出した日本企業には、必ず強力なトップがいます。両者の違いは、むしろ経営のスタイルにあると指摘すべきでしょう。

以上のような日本的経営の誤解は、日本通を自負する経営学者の面々によって単なる一例として引き合いに出されたまま、定着したものです。こともあろうに日本の産業界とマスコミは、自分たちの足元を見ずに、欧米のマネジメントの権威が例外的事例を取り上げたにすぎない、無責任な「神話」をありがたく信奉していました。ところがバブル崩壊後、一向に景気が上向かず、低迷を続ける日本経済を打開するには、むしろ日本式経営が足かせになっているという論法で、今度はアングロサクソン経営や国際基準を礼賛し始めたのです。

日本企業はグローバル・スタンダードをお題目として掲げ、遮二無二そのシステムを導入していきました。利益重視、株主重視、取締役会の権限強化、官民一体論、労組問題の解消などです。ところが、エンロンやワールドコムの破綻をきっかけにして、あたかも振り子が戻るように、日本式経営のよさを再認識しようという動きになったのです。

このような日米欧の経営ノウハウの比較礼賛は、戦後を通じていく度か繰り返されてきました。実態を見ずに、世間の常識や通説に惑わされていては、単なる現象あるいは例外的事例を真実と見紛うだけです。そして、先に道を切り拓いた者が一人勝ちする世界では、過去を振り返る暇などありません。自分の置かれている状況が見えていない人は、競争相手はだれなのか、どうすれば勝てるのか、そのために何が必要なのかといったさまざまな問題の答えを前例や既存の知識に求めようとします。しかし、未開のジャングルに関する知識などだれも持ってはいません。

知識とは、先駆者たちの研究、経験、試行錯誤が生み出した成果物です。確かな知識が得られるとしたら、すでにジャングルは踏み固められ、そこにはもうビジネスチャンスのかけらも残っていません。これからのビジネス・プロフェッショナルは、これまで以上に常識を疑い、既存の知識を捨てる、つまり「アンラーン」する習慣を励行していくことが必要です。

常識を疑うとは、無考えに抗うことではありません。意思的に反論を仮設し、これを繰り返し検証する作業です。つまり、二〇世紀の学習を真摯にアンラーンするという、破壊的かつきわめて創造的なプロセスなのです。反論を導くには、常識についてもれなく分析することはもちろん、その反証についても等しく分析することが求められます。このような思考のクセや論理的に検証する術が身についているか否かが、ジャングルでの生死勝敗を決します。

元来、人間の脳には「見たいものしか見ない」という習性があるので、成功体験から得た知識やセオリーは特に要注意です。資本集約的な業界に異業種からの参入は難しいという過去事例、競合がなければ市場を独占して価格を高く維持できるという理論、業界の雄として君臨する企業とこれを打倒することをエンジンとして成長してきた企業が手を組むはずがないという不用意な前提など、これまでの常識や物差しは通用しなくなっています。その予兆は一九八〇年代から世紀末にかけて、日本に山ほどありました。

たとえば、不沈といわれた都銀一三行が四つの金融グループに淘汰・再編される一方で、ゼロからの新規参入はありえないという大方の予想を裏切り、金融庁はイトーヨーカ堂やソニーに銀行免許を交付しました。かつて日本経済を牽引した自動車業界では次々と外国からの経営者が降臨しましたし、商社によるメーカー機能の強化もいまや常態となっています。こうした変化が目の前で起こっていたにもかかわらず、多くの日本企業が失墜し、国際競争力を落としたのは、自分が見たいもの、かつての栄光や成功体験しか見ていなかったからです。

日本がもたもたしている間に、世界地図は急速に塗り替えられてしまいました。インドのIT技術者がシリコンバレーに押し寄せ、アメリカ人技術者の雇用を脅かしたのは二〇世紀です。現在は、インフォシス・テクノロジーズ、サティアム・コンピュータ・サービス、ウィプロ・テクノロジーズ、タタ・コンサルタンシー・サービシスといったインドに本拠を置くソフトウエア会社が、ウェブを通じて先進諸国に雇用を提供し、アメリカ企業は間接業務、あるいは本社機能そのものをインドなどに移転し始めています。また、アイルランドにも、同じく間接業務や金融関連業務が集約されています。日本語によるデータ入力やコールセンターなどの業務も、お隣の中国や地球の裏側にあるブラジル、あるいはオーストラリアへ移転されています。

日本のメーカーが生産拠点を中国に移すという展開はかねてからありましたが、カスタマー・サポートなどの言語依存型業務であろうと、企業の命綱となる技術開発・設計業務であろうと、国内にとどまる理由はありません。もはや「保つ」ことで何かを「守る」ことができる時代ではないのです。ブルーカラーはもとよりホワイトカラーも、大量生産をエンジンとするビジネスモデルのなかで「精度の高い駒」として機能すれば安泰だった時代は終わりました。ボーダーレス経済は、前例や常識が守ってきた牙城をいとも簡単に突き崩してしまったのです。

アメリカのホワイトカラーは、自分たちの仕事が加速度的に海外流出していることに危機感を強めていますが、あなた自身はどうでしょうか。このままいけば、ホワイトカラーの仕事であろうが、定型的なルーチンは早晩国境を越えてアウトソーシングされてしまうでしょう。そうなれば、彼の国ではブルーカラーに近い賃金の人々と競うことになるのです。要は、賃金も国境を越えて裁定（従来価格よりも低い価格のものを仕入れて、その差額で儲けること）される時代になっているということです。

雇用も報酬も「見えない大陸」を先見することでしか確保できません。前例主義を排し、常識を疑うクセ、変化の本質を見極める力を獲得することが、ビジネス・プロフェッショナルの生命線と言ってもけっして過言ではないでしょう。

変化を愉しむ

経営学の論文やビジネス・バイブルと謳われる書物の多くが、いまだに古いパラダイムのなかで二一世紀の経済を語り、実に多くの人がそれに納得しています。これは日本式教育の「公害」です。日本の教育は、物事の道理を自分の力で考えるのではなく、ひたすら結果を覚えさせるように指導してきました。教育制度を通じて、従順になるようにひたすら訓練を続けてきたわけです。それが、何事に対しても「シカタガナイ」と無関心な態度を続ける世代を輩出しました。

このような「シカタガナイ」世代は、与えられたバイブルがいかに難解であろうと、そこに答えがあると思えば我慢して読み、それを覚えようとします。記憶が理解であり、しかし記憶としてインプットした瞬間に思考を停止させてしまいます。たとえば、マイケル・E・ポーターが主張する成功の方程式を丸ごと覚え、それでジャングルを拓くツールを手にした錯覚に陥ってしまうというわけです。これでは答えのないものをおもしろがるメンタリティや、割り切れないものにチャレンジする気概は皆無です。

新しい経済空間では、事業領域をどう削り出すかがすべてです。これは人間の頭の中で想像しながらするもので、他人のつくったテンプレートで成功する事業を削り出すことなどできません。私が二一世紀のビジネス・プロフェッショナルの条件として、先見力や構想力を挙げ、それらがパーソン・スペシフィックである、というのはそのためです。

ジャングルで実用に堪えうるサバイバル・スキルは、数々の失敗を実地に経験し、自分自身が傷つくことでしか学べません。私自身も、マッキンゼーを辞して以来、これまでにかなりの数の事業を興しましたが、結果だけを見れば一勝一敗というところです。しかし、私はこの結果をありがたいとすら思っています。失敗することより、失敗を経験しないことの危うさを自分自身がいちばんよく知っているからです。

変化と失敗を愉しむ資質、あるいは余裕、好奇心、気概があれば、みずから「ルール・ブレーカー」となって変化を生み出すことが十分可能です。ルール・ブレーカーであることは、ルール・メーカーたる条件にもなります。なぜなら、何かを破壊することで創造が生まれるからです。

見えない大陸には、たしかに多くのリスクと不確実性が潜んでいます。しかし、いまという時代をビジネス・プロフェッショナルとして生きられるのは、まさに千載一遇のチャンスです（**章末のコラム**「見えない大陸が見えない理由」を参照）。一部には、このチャンスを本能的に感知している人もいるようですが、変化を望みつつも、変化を恐れてみずから手を出すことには慎重です。いまの日本には、たとえ失敗しようと、いまだかつてないものに先駆的に挑戦しようというメンタリティを備えた人材が、極端に少ない気がしてなりません。

変化を恐れる心は、失敗を恐れる心です。それは弱さというよりも、むしろ未熟さでしょう。未熟ゆえに失敗をリカバリーできないのです。失敗に遭遇していない、むしろそれを回避してきたために、リカバリーの術を習得できていないわけですが、ジャングルでは、未知の領域に踏み込めないこと自体が生存能力の喪失につながります。

リスクに臆してこれを遠ざけるのは、種の保存を図るための、いわば生物としての本能でしょう。しかし、北欧の国々が突然変異したように、あるいはアイルランドが世界金融のバックヤードに変容できたように、人間はリスク・テイキングのできない動物ではありません。原始以来、未曾有の困難や変化にいく度となく直面し、そのたびに何とか切り抜け、解決してきました。

未知への挑戦は先駆者の任務であり、起業家の醍醐味です。ジャングルを目の前にして、私がまったくこれを恐れていないのは、常に変化を先取りし、真摯に愉しみながら、失敗を糧としてみずからの世界を広げてきたからだと自負しています。リーナス・トーバルズも、停滞すること、同じ状態で膠着して何の変化も起こらないことを恐れていると語っています。彼は、幸福な未来というのは、社会のあり方だけではなく、個人もそれぞれ変化して、あらゆるものが進化していくことだと言い、「人間がどのように変わっていくのかを見てみたい」と変化を愉しんでいます。

どのような世界でも、名人あるいは達人と呼ばれる人々は、総じて慎重さと大胆さの両方を兼ね備えているものです。これら二つの気質も、常に変化を志向し、執拗なまでに試行錯誤を繰り返す熱情の産物にほかなりません。ビジネスの世界においても、優れた組織はイノベーションに積極的であると同時に、リスク・マネジメントの能力にも長けていきます。そのような組織のリーダーは、たいてい変化を心底愉しむ熱情にあふれています。彼らのような存在とその熱情が、未開のジャングルに道を拓くエンジンであることは間違いないでしょう。

しつこく試行錯誤する

ジャングルを怖がるだけで、実際に身を投じなければ、いつまで経ってもジャングルの掟を学ぶことはできず、生存能力も身につきません。それは、失敗を恐れて思い切ったことにチャレンジする勇気が持てないからです。そもそも頭で考えているだけで、身につくものなどありません。未踏の領域に我先に足を踏み入れ、逆境や数々の失敗を歓迎する勇気を持つ人間だけが、みずからの手で道を拓き、手あかのついていない答えを見つけることが可能なのです。

そこでは、開拓者精神こそが最強の武器ですが、やみくもにただ歩き回っていては変化の本質を見極めることはできません。ジャングルへの一歩を踏み出す時、想定した仮説を軸足に、しつこく試行錯誤する姿勢、言い換えれば、たとえ失敗しても「必ず次は成功する」という、周囲を圧倒するほどの執着力が一つの護身術となります。

変化の本質を見極めるには、まず身近な変化の一つひとつについて、なぜそうなるのか、どこが新しいのか、そこから何が生まれ、その真価はどこにあるのかと繰り返し自問自答します。そこから課題を構造化し、仮説を立て、それが正しいかどうかを見極めるべく事実を集め、分析・検証し、自分の理を再構築していきます。

途中で間違いに気づいたならば、すべてを白紙の状態にして、違う仮説に立ってゼロから考え直さなければなりません。ところが、「知的に怠惰」な人間は、このオールクリアができません。失敗を恐れるから、自分の間違いを認めようとしないのです。素直に自分の間違いを認めることが、「知的に怠惰でない」ということなのです。それが、一連のプロセスを経済世界の変化スピードと同等か、それ以上で繰り返すことを可能にします。

これは、経営コンサルティングにおける問題解決手法の基本であり、トレーニングを積むことで後天的に習得が可能です。しかし、多くの日本人にとっては最も不得手とするところのようです。くわえて、残念ながら現在の日本人には、あくなき試行錯誤を支える強い問題意識としつこさが欠けています。従順であること、権力や利益の追求には淡白であることを美徳とする社会風土のせいなのか、執着心が弱いのです。

ちなみに私の古巣であるマッキンゼーは、プロフェッショナルの行動規範の一つに“obligation to descent”《オブリゲーション・トゥ・ディーセント》（反論する義務）を挙げています。自分自身の良心や職業倫理に照らして釈然としない時は、それをはっきりと表明し、反論することを「義務」としてすべてのメンバーに課しています。この伝統は七〇年前から続くものです。

相手がクライアントであろうと、もちろん社内の先輩であろうと、年齢や立場に関わりなく、常にそのように振る舞うことが要求されます。人間関係においては長幼の序も大切ですが、事実を前にして、相手の機嫌を損なうかもしれないと下手に遠慮したり、歪曲したりすることは、むしろプロフェッショナルとして恥ずべきことです。マッキンゼーでは、伝統的な組織とは逆に、意見する人間にではなく「意見しない」人間に強い批判のプレッシャーがかかります。

たとえ対立しようとも、忌憚なく意見を交わすことから生まれる議論が問題解決の礎になることを、日本人の多くが頭では理解しているはずです。論と論とを闘わせるところに創造の神が宿るのです。議論を避けること、議論に不慣れであることは、世界を相手に戦うビジネス・プロフェッショナルにとって致命的なハンディキャップとなります。これを端的に示しているのが、連戦連敗中の日本の外交でしょう。

言葉を尽くさずとも理解してもらえるという甘え、わかった振りを装う弱さ、厳しい意見には耳をふさぐ事なかれ主義、公になった過ちを繰り返す愚は、同質化社会が生み出した弊害です。あつらえの知識を疑うことなく丸暗記させる日本式教育は、同質性を維持するという意味では絶大なる成果を上げてきましたが、同時に異質を排除し、多様性を是としない文化を助長させてしまいました。

その意味で、日本と好対照なのがユダヤ社会です。ユダヤ社会では場の議論を深めるために、メンバーの一人があえて盾を突きます。「デビルズ・アドボケート」(悪魔の使途)と呼ばれるものです。議論の方向性や結論の大筋には賛同しながらも、あえて反論し、課題とその解決策を結ぶ道筋に、矛盾や不整合が見落とされていないかを検証します。さらに、より優れた解を導き出すために異なる視点から反論し、議論の前提に疑義を呈します。

このプロセスは、論理の組み立てをより確かなものにしていきます。ジャングルに求められる試行錯誤の力を鍛えるうえでも大変効果的です。デビルズ・アドボケートの手法と精神を用いて、持論をたえず自己検証することは、いままで考えたこともないような思考空間にわが身を置いて、ジャングルを拓く論理をゼロから組み立てるトレーニングにもなります。基点となる事実が同じであっても、さまざまな思考空間から発想を導き出せれば、それだけ多くの選択肢やビジネスの種を見出せることでしょう。そこからベストを選び取り、機を逃さず、実行に移せるかどうかが成否のカギを握るのです。

緊張感を持つ

日本はいま、古いパラダイムの悪循環にはまり込んでいます。聞こえてくるのは「二〇世紀の栄光よ、もう一度」という現実逃避の戯言《ざれごと》ばかりで、二一世紀を生き抜く武器を獲得するどころか、その必要性を認識する頭脳構造すら持っていません。かつてビジネスエリートと呼ばれ、いまだにそう評価されている一群も、二一世紀の現実を認識できずにいます。何ゆえこのように危機感が欠如しているのでしょうか。

マイクロソフトにしても、トヨタ自動車にしても、経営トップは強烈な危機感を抱いています。かつてビル・ゲイツは、「今日、私が一つ判断を誤れば、この会社は明日にも潰れる。そういう夢をいまでもよく見る」と私に語ってくれました。規模においても、堅牢さにおいても世界に比肩する組織のない企業体を指揮しながら、毎日が瀬戸際だというのです。だからこそ、独禁法闘争にしても、記者会見にしても、すべて自分自身でこなすのでしょう。このような緊張感は、未開のジャングルを生き抜く、先見力のエンジンとなるものです。

「パラノイアだけが生き残る」――これはインテルの前CEO、アンドリュー・グローブの名セリフです。かつての私の同僚であるトム・ピーターズ（元マッキンゼー パートナー、『エクセレント・カンパニー』の著者）も似たようなことを言っていました。パラノイアという言葉には、一般に病的で狂信的なイメージがあります。しかし、グローブが指摘したのは、組織や他人の考え・行動に対する「建設的ではあるが偏執的ともいえる猜疑心」の必要性です。

不測の事態に遭遇した時、あるいは懸念された出来事が発生した時、パラノイアは起きます。こうした状況は人間を不安に陥れる一方で、「過覚醒」をもたらします。どんなささいなディテールも見逃さないように注意を払い、その一つひとつを偏執的ともいえるしつこさで徹頭徹尾吟味するのです。のみならず、他人の心の動きを敏感に感じ取り、危険を察知します。すると、半径を広げて情報収集し、最悪の状況を想定しつつ集めた情報から状況を判断していくため、危険を察知した後の行動が非常に速くなります。健全なパラノイアは、その緊張感ゆえに感受性が高く、優れた洞察力によって行動力を発揮する、というわけです。

成功の陰には必ず崩壊の種が潜んでおり、ビジネスには一寸の油断も禁物です。グローブも、自身の手痛い体験から「パラノイアだけが生き残る」という言葉を生み出しました。それは一九九四年一一月のことです。〈ペンティアム〉に九〇億回に一回の確率で演算ミスが生じると、CNNが報じました。当時、インテルは年平均三〇パーセントの勢いで成長していたのですが、翌一二月にはIBMがペンティアム搭載機の出荷停止を発表し、最終的に同社は五億ドル近い損失を被ったのです。

グローブは、この大事件の原因はインテルの急成長にあったと結論しています。知らず知らずのうちに大企業となり、ゲームのルールが変わったことに気づけなかったというのです。この失敗を教訓に、以来グローブは、アメリカ産業界に比類なき最高に賢明なパラノイアとなりました。

未開のジャングルは、まさしく「一寸先は闇」です。わからないからこそ何事にも緊張感を持って臨み、その緊張感が皮膚感覚、洞察力、分析のスピード、危機管理能力を覚醒します。また、極度の緊張感は、人間に潜在する「野性の直観力」をも刺激するのです。

二〇世紀をアンラーンし、変化を愉しみつつ、しつこく試行錯誤することが、見えない大陸でのサバイバルに必要な嗅覚を養成する基本行動であるならば、緊張感、つまり建設的な猜疑心は、先見力を飛躍的に研ぎ澄ますカンフル剤です。見えない大陸における猛スピードの変化に振り落とされないためには、こうした少々強めの薬も必要でしょう。

野性の直観力を磨く

ジャングルでは、いつ危険に遭遇するかわかりません。予測不能という意味では、チャンスの到来も同様です。見えざる危険やチャンスを先見するには、鋭い直観がものを言います。すでに多くの経営者が、スピード経営には直観が不可欠であると指摘しています。

一夜にして成功モデルが覆り、どこからともなく新たなライバルが出現する時代にあって、すべての課題について用意周到な考察と論理的な分析を施すことは不可能です。だからこそ、新たな出来事を目の前にした時、自分の直観だけが頼りとなるのです。

長年にわたり人間の意思決定プロセスを研究してきたカーネギーメロン大学のハーバート・A・サイモンは、「情報を保存することと、それをすぐに取り出せるよう情報を整理することを可能にしているのは経験である」と論じています。人間は、経験を重ねることでパターン認識を体得し、これを無意識のうちに活用して直観を働かせています。ビジネス・プロフェッショナルの直観力に関する研究例は少ないですが、少ないながらも「直観と判断力は、習慣化された分析にすぎない」と結論している点については、いずれもサイモンの主張と一致しています。

直観の源泉となる経験値が古ければ、外界の変化に対して正しく直観することはできません。未知なるジャングルに通用する直観力を磨き、「直観精度」を高めるには、旧大陸での古い経験値や価値判断をリセットするだけでなく、新しい経済空間での経験値を精力的に増やしていく必要があるでしょう。

危険やチャンスを直観する頭脳回路は、活用しなければ衰えていきます。たとえ発展途上であっても、それを何度も使うことで洗練され、研ぎ澄まされるのは、先見力についても同様です。磨きつつ用い、用いることでさらに磨きをかけていくのです。

「意志」へ投資する

二一世紀の経済ジャングルに関するあらゆる情報、見聞きした事例の数々は、いずれも過渡的な状況描写にすぎません。ここで必要となるのは、だれかが言葉で表現した「答え」に頼むことなく、体を張ってそれを自学する勇気でしょう。みずからの肉体と精神を未知なる空間で鍛え直す気概が、国にも、企業にも、個人にも強く求められます。

前述したように、既存の戦略論も、事業ドメインを削り取った後なら、成功の確率を高めるという意味では今後もそれなりに有効でしょう。しかし、成功するドアの入り口を見つけたり、継続的に成功し続けたりする道具とはなりません。次代を先見し、成功を掌中に収めるには、戦略論よりも「意志」と異質の人材に投資すべきです。

ソニーの盛田昭夫氏は好奇心の塊でした。常に情報のアンテナを立て、関心を持つとだれかれかまわず質問攻めにして、納得するまで相手を放しませんでした。そこから誕生した新製品は数知れません。同じく松下幸之助氏も実に質問の上手な経営者でした。難しい意思決定に直面した時は、必ず三人以上の社員を呼んで「それはなぜか」と質問を繰り返したものです。そうして問題の本質を見極め、自分の判断に最も近い考えをする社員に権限を持たせたのです。

オムロン（旧立石電機）の創業者である立石一真氏は、人間は成長するという強い信念を持っていました。「できません、と言うな。どうすればできるか工夫してみることだ」と語っているように、いかなる苦境にあろうとも成功するまではけっして諦めず、数々の発明で革新的な製品を世に送り出しました。

盛田氏も、松下氏も、立石氏も、寝ても覚めても自分の会社、事業のことばかり考えていました。事業を成功させるには、このように極端なまでのこだわりが必要です。ナイキのフィル・ナイトが「レストランを開きたいと思っても、厨房で一日二三時間働く覚悟がなかったら、やめたほうがいい」と言っているように、わき目もふらずその仕事に没頭できなければ、事業は成就しないのです。「自分にはこれしかない」とひたすら邁進できるのも、その仕事が好きなればこそです。そうしたこだわりを信念に高めていくことで、間違いなくビジネスの道は切り拓かれていきます。

つまり、最後に戦略に魂を吹き込むのは人です。どんなに素晴らしいビジネスプランを描けても、そこに「必ず成功する」という強い信念がなければビジネスは成就しません。地図も型紙もないジャングルでの戦いで、自分自身の意志以外に信じられるものはありません。そして、意志ある人材を生むメカニズムこそが、経営のスタイルなのです。企業組織もビジネスのプロセスも、経営課題における効果最大、リスク最小の解を見つけるなかで持続的に進化していきます。一九七〇年代の二度にわたる石油危機も急激な円高も、日本企業は血のにじむ努力で乗り越えてきました。ところが、政府が無造作に補助金を出すようになると、日本企業は自己変革を忘れて不況対策や公的資金の抽出に頼り始めました。それが日本企業に甘えの構造をもたらしてしまいました。

かつて日本の経営者には強い信念と覚悟があり、日本企業が危機に直面するたびに自己変革を繰り返し、適応力を発揮し続けました。しかし、いまの経営者といえば、高度成長期に彼らの後について、言われたことをコツコツこなして出世階段を上り詰めた人たちです。変革期の戦闘要員としての信念も覚悟も持ち合わせていません。日産自動車社長のカルロス・ゴーンや元マツダ社長のジェームズ・ミラーは、かつて世界が称賛した日本の経営者の「忘れ形見」なのです。

いまこそ組織にも、個人にも、意志という内なるエンジンをフル回転させる投資が求められます。しかし、人間の内には保守の志向があり、次代を先見する目を曇らせ、信念の礎を侵食します。実はこれこそが、自分の内にある「見えざる敵」です。二一世紀最大の敵は、すなわち保守性であり、成功体験であり、それらが生み出す過信です。このような変化を拒む心をねじ伏せる意志と、自己否定のうえに拓かれる新たな視座に投資することこそ、見えざる大陸を制するカギとなるのです。

見えない大陸が見えない理由

二一世紀の経済空間を「見えない大陸」と表現してきました。なぜこれが見えないのでしょうか。

その理由は大きく三つあります。まず、価値の源泉が変化したことです。そのスケールとスピードを正しく把握できていないことが見えない理由の一つです。二〇世紀までは、だれの目にも見えて、手で触れられる「タンジブルな価値」の創造が経済を牽引し、これを最大化するシステムとして、流通、金融、通信、メディアなどサービス産業が飛躍的な発展を遂げました。しかし、二〇世紀末の十数年で、この構図は逆転します。タンジブルな実体経済を支えてきた「インタンジブルな価値」、すなわち無形価値の創造が経済を主導し、動かす時代へと変貌したのです。

この変化は就労人口の分布にも如実に表れています。アメリカではすでに就労人口の約七〇パーセントを、日本でも六五パーセント近くを第三次産業従事者が占めています。景気回復のカンフル剤と称して公共投資を繰り返す愚は、この現実が見えていない何よりの証左でしょう。政府は農業補助金として、この一〇年間で四二兆円もつぎ込む一方で、若い起業家の支援・育成に投じたのは一兆円にも満たない額です。これでは、人材と新規事業で勝負する二一世紀の国家を冒涜《ぼうとく》する行為と言わざるをえません。

二一世紀に入って、インタンジブルな世界が加速度的に複雑化、高度化していることも「見えない」理由の一つです。国境や時差の壁を軽々と超える「サイバー経済」は、人間の思考や判断をはるかに超えるスピードで変化しています。「サイバー経済」は「ボーダーレス経済」の進化を加速し、「マルチプル経済」の波及効果を最大化します。

定期預金の金利は目に見えますが、その差分の差分を取るような金融工学に基づくマルチプル経済は、従来の思考空間ではなかなかその姿を現しません。人知の枠を集めて日々刻々と変化する、サイバー、ボーダーレス、マルチプルの経済空間に、旧来の実体経済を加えた四次元の世界――これらを正確に見通すのは容易なことではありません。

かつてジョン・M・ケインズは、経済学にマクロの視点を持ち込み、資本主義経済を変革しました。しかし、ケインズの慧眼《けいがん》がとらえたのは「見える世界」です。有効需要の創出が供給を生み、供給が雇用を生み、雇用が税収と消費を生み出すという論理は旧大陸において、あたかもバイブルのごとく君臨しました。しかし、その経済思想も、いまやニュー・エコノミーという巨大なタペストリーを織り成す横糸の一つでしかありません。

複雑に絡み合う四次元の経済空間を自在に操り、それぞれのポテンシャルを生かしつつ、そこから縦横無尽に事業を発想する力を身につけることは、けっして容易ではありませんが、これこそが見えない大陸の覇者たる条件です。実際、近年の事例を見ても、成功を収めた新しい事業のほとんどは、四つの経済空間が重なり合う領域にあります。古い領域や単一領域で展開される事業は、大方中国か、あるいは南米、東南アジア周辺で裁定されたもので、人件費が世界一高い日本のような国ではもはや成立しえません。本社業務や間接業務でさえも国境を越えてしまう時代なのですから。

私たちはいま、これまでの常識をやすやすと覆してしまう、まったく新しい経済空間に身を置いています。非常識な時代に生きているということが「見えない」理由の第三であり、人間の性に照らせば、これこそ最大の理由ともいえるでしょう。先見力を養成する術として、二〇世紀をアンラーンすることを第一に挙げたのも、そのためです。

日本経済の今後を語る時、政治家も官僚も、マスコミも企業人も、声を揃えてデフレの進行を恐れます。しかし冷静に考えれば、それが不可避であることは明らかです。一定のクオリティを満たすものが、より安く、より多く流入し、消費者がそれを選ぶとすれば、当然、デフレが起こります。ベスト・アンド・チーペスト、すなわち世界で最も優れたモノを最も安く入手できることがボーダーレス経済のもたらす恩恵なのですから。

しかも日本は、世界にも例を見ないほどのスピードで高齢化しています。今後も年間一パーセントずつ、大ざっぱに計算しても毎年六〇万人近くがリタイアし、ビジネスの最前線から離脱します。かくも多くの人たちが価値を付加する行為、すなわちGDPへの貢献から離れていきます。これは取りも直さず、日本経済には年率一パーセントのデフレが織り込まれていることと同義なのです。

人口統計に基づいて計算すれば、少なくとも今後二五年はデフレの収束はないと読めます。そのなかで経済の成長と収益の拡大を模索するならば、従来とは異なるタイプの新たな事業領域を未開のジャングルから、みずからの手でもぎ取るしかありません。脚力は走り込むことでしか発達しないように、先見力も立ち止まることなく次々と発想し続けることによって鍛えられます。その過程で累々と築かれるビジネスプランの残骸には、時機を得て化学反応を起こし、事業化の糸口となりうるものもあるはずです。

第3章◉

構想する力

先見力だけでは事業は成功しない

いまやグローバル・エコノミーを牽引している力は目に見えない経済空間であり、ビジネスの芽と好機をとらえるには、見えないものを見る力、すなわち「先見力」が必要です。ただし、気の緩みや判断ミスが致命傷になりかねないサバイバル・ゲームを制するには、単に先見力に優れているだけでは十分ではありません。ジャングルの覇者となるには、チャンスのにおいを嗅ぎ取るだけでなく、その可能性を最速かつ最善の方法で具現化する力、つまり、先見した未来図を具体的な事業として構想し、実行する力が求められます。

どの組織にも、自薦他薦を取り混ぜて「アイデアマン」と呼ばれる人がいるものです。たしかにそのアイデアの多くはユニークで先見性が感じられますが、えてして言いっ放しでその先の責任を負いません。また採用されないとなると、とたんに評論家に変わります。せっかくの先見にあふれるアイデアも、これでは実現しません。その先――構想し、決断し、実行する――へ踏み出してこそ、アイデアに命が吹き込まれるのです。

先見性はあったものの、成功へのロードマップを冷静に構想できなかったがゆえに淘汰され、市場から姿を消してしまった事業や企業事例は枚挙に暇がありません。シリコンバレーなどはまさしく淘汰の物語であり、未来の成長分野に参入すれば、果実にあずかれるという甘い考えを戒める好例でしょう。

かつて日本でも必ずや将来の成長源になると見て、バイオ・ブームやマルチメディア・ブームが起こりましたが、このような成長市場は往々にして混雑市場で、淘汰の圧力が強力でした。実際、当時これらの分野に他者より一足も二足も早く参入を果たした、先見性に長けたプレーヤーが、いまどれくらい残っているでしょうか。そのほとんどに構想力が欠けていたと言わざるをえません。最近では携帯電話市場もそのような成長分野であり、モトローラの〈イリジウム〉は「他山の石」とすべき典型例といえるでしょう。

〈イリジウム〉は、世界中どこでも通話可能な世界初の衛星方式携帯電話サービスとして、一九九八年一一月にスタートしました。六六機の低軌道周回衛星（当初の計画では七七機であり、この数字がイリジウムの元素番号であることがその名の由来です）を連携させ、地球の上空をくまなくカバーするという壮大かつ野心的なプロジェクトは世界中の注目を集めました。しかし、肝心の加入者が思うように集まらず、〈イリジウム〉はサービス開始からわずか一年足らずで連邦破産法第一一条《チャプター・イレブン》の適用を申請しました。

「世界中どこでも」というアイデアはけっして的外れなものではありませんでした。実際、このアイデアは現在ボーダフォンに引き継がれています。また、モトローラの無線技術をもってすれば不可能な事業でもありませんでした。ところが、世界初にこだわり、事業の立ち上がりが拙速だったため、初期投資が肥大化し、技術的にも未解決な部分を残したままスタートしてしまったのです。

さらに、セルラー方式など先行の携帯電話サービスに比べると、通話速度が遅く、通話料金もかなり割高なうえ品質も最悪でした。世界中どこでもつながると謳っているものの、使用頻度が高いオフィスなど屋内通話のトラブルが続発したのです。専用ハンドセットの価格も高く、また大型で常携するには不都合など、とにかく欠点が多すぎました。結局、ユーザーの本質的ニーズをことごとく裏切る、魅力に乏しいサービスと評価されてしまい、いまでは開発途上国におけるダムの建設現場など、通常の通信手段が確保できないような超ニッチ市場でのみ使われています。

こうした質的な欠点や欠陥もさることながら、最大の痛手となったのは、計画からサービス開始までのわずか数年の間に、セルラー方式の携帯電話が飛躍的な進化と発展を遂げたことです。技術革新のスピードとユーザーのニーズの所在を冷静に見極め、これを事業に反映できなかったために、〈イリジウム〉が先見したはずの市場はライバルたちにさらわれてしまいました。成長市場を制するどころか、その入り口で致命傷を負ったのです。

同様の例は、電子マネーの世界にも散見されます。一九九〇年代半ば頃からイギリスの〈モンデックス〉やアメリカの〈eキャッシュ〉〈サイバー・キャッシュ〉など、多くの事業体が電子マネーの研究や実験に乗り出しました。しかし、ユーザー不在の覇権争いに明け暮れ、先行投資を正当化できるだけの規模と収益を手にした者はいまだいません。

ボーダーレスな携帯電話サービスにしても、サイバー・ワールドを飛び交う電子マネーにしても、ユーザーの潜在ニーズは加速度的に高まっています。彼らが先見した未来図はあながち間違ってはいませんでした。欠けていたのは、旧来の成功法則が通用しない新しい経済空間に身を置いているという認識であり、新たな掟を感じ知る力、そして変化のスピードを踏まえてビジネスモデルを構想する力だったのです。

構想を実現する必要条件と十分条件

先見した未来図をビジネスモデルに具体化するには、成功の必要条件と十分条件を満たす仕組みを綿密かつ周到に構想しなければなりません。必要条件とは、世の中の基本的なニーズです。そのニーズを満たすビジネスを具現すれば、どれくらいの人が賛同してくれて、どれくらいの代価を支払ってくれるのかについて、マーケティング面からも財務面からも調査・検証し、代価を回収する手段と仕組みを設計・構築します。いわば「財布」の部分まで考えて、事業全体を構想できることが成功の十分条件なのです。

無論、これだけで成功が保証されるわけではありませんが、この基本動作を頭ではなく、体で覚えているビジネスマンは少ないようです。事実を積み上げながら、冷徹に検証し、意思決定を下すという一連のプロセスを、多くの人は前例や自身の経験に頼ってしまいます。先見性があったとしても、この必要条件と十分条件を満たせないまま、あるいは満たしているかどうかを厳密に実証できないまま、技術上の可能性だけを追いかけてしまうと、単なる白日夢に終わってしまいます。衛星方式の携帯電話サービスや電子マネー、また官主導で進んできた日本のBSデジタル放送も大いにその危険性をはらんでいます。

BSデジタル放送は、そもそも必要条件を満たしていません。BSが視聴者を満足に確保できていないのに、デジタル化でチャンネル数が八倍になれば視聴者が飛躍的に増えるというのは幻想にすぎません。にもかかわらず、消費者に四万円もするセットトップ・ボックスを新たに買わせようとしたのです。コンテンツの制作あるいは調達をどうするのか、という問いに対しても、チャンネルが広がればコンテンツはついてくる、とタカをくっていました。

〈スカイパーフェクTV！〉も、八〇〇チャンネルの大半は苦戦しています。私は757チャンネルで経営専門の放送を二四時間体制で提供して数年目から黒字化しています。番組の制作では、毎日の思考、こだわり、顧客や識者の意見の取り込みなどが問われます。しかし、このことを理解している人は少ないようです。現に大半のチャンネルは、他人の制作した番組を流すか、海外との提携チャンネルです。規制業種である通信や放送は、チャンネルの獲得そのものが利益につながりますが、いまや「そのチャンネルで何をするのか」が勝負を決めるのです。地上波デジタルにおいても同じ過ちが繰り返されようとしており、これは過去の問題ではありません。

政府は、将来アナログ放送を止めるという強硬手段でこの愚かな業界の後押しをしていますが、そうこうする間にブロードバンドが普及し、いまではオンデマンドでテレビ品質の画像を送ることができるようになっています。現に私の放送局でも、これを世界に先駆けて開始しました。二〇〇四年八月からは日本のみならず、世界中に配信しています。

行政が「放送だ」「通信だ」と騒いでいるのは、二一世紀の技術と経済がまったくわかっていないからです。当然のことながら多くの消費者は、こうした政府や業界主導のサービスには見向きもしません。視聴者が少なければ企業スポンサーもつきにくく、ブロードバンドの普及でオンライン映像配信が加速すれば、〈イリジウム〉がセルラー方式の携帯電話に市場を奪われたのとまったく同じ現象が起こるでしょう。現在はすべてのBSデジタル放送局において、赤字額が収入をはるかに上回っています。このような状況になることは、見える人には構想段階から見えていたはずです。

私のところにも毎年八〇〇件ほどの事業計画が持ち込まれますが、残念ながら大半は白日夢です。多くはインターネット関連のサービス事業計画ですが、アイデアとしてはおもしろいものもないわけではありません。しかし、サイバー経済のみならず、マルチプルな経済空間やリアルな社会ニーズ、経済空間のボーダーレス化を正確に理解していなければ、先見した可能性を開花させることはできません。

次元の異なる複数の経済空間が重なり合う領域で事業を構想する時、多くの起業人は既存の成功モデルを研究して答えを探そうとしますが、ここにも大きな落とし穴があります。成功の必要条件も十分条件も、技術革新と共に日々刻々と変化しているからです。楽天は立ち上げ期に「その時代の」必要条件と十分条件を満たしていたからこそ成功しました。それゆえテナントが集まり、アクセスが増え、賑わいを見せたのです。同じような事業プランでも創業のタイミングと立ち上げのスピードが違えば、成功の必要・十分条件は違ってきます。楽天にしても、今後の展開次第では新たな必要条件と十分条件を満たすために軌道修正が求められるでしょう。

先例があるから「成功するはず」という発想は厳に禁物です。特に十分条件となる代価を回収する仕組み、すなわち決済には、とりわけ周到な設計が必要です。ネット店舗は簡単に開設できますが、アメリカの統計によれば、最初の一ドルを徴収するのに平均八四ドルかかります。つまり、ネットは路面店よりも初期コストが高くつくのです。

顧客が選んだ商品をカゴに入れ、決済画面まで来てくれたとしても、クレジットカード情報を入力する段階で約八割が逃げてしまうといわれています。また、カード情報をネット上でやりとりすることに抵抗がなくても、入力すべき項目が多く、入力方法にもさまざまな指定があり、しかも情報の性質上、ささいなミスも許されません。ここで三回拒絶されたら、よほど気に入った商品でない限り、ほとんどの人は購入を諦めてしまうでしょう。

実は、このようなところで取り逃がしている顧客が結構多いのです。使い勝手も含め、代価回収の計画と仕組みに緩みがあると、ネット店舗は「顧客を呼び込む」「品物を選ばせる」「キャッシュ・レジスターまで連れてくる」のいずれの段階でもコストが余計にかかるということを、よくよく肝に銘じておくべきです。

変化のスピードと規模をつかむ

二〇〇四年春、同時多発テロ独立調査委員会、通称「九・一一委員会」の公聴会で、悲劇を未然に防げなかった責任を問う声に対し、アメリカの政府関係者は、「備えは十分だった。進むべき方向も間違ってはいなかった。しかし、その車（脅威）は我々の背後から、予想をはるかに超えるスピードで突っ込んできた」と答えました。このせりふは、まさに産業界が直面している変化の荒々しさを表現しています。背後から爆走してきたのは、技術革新という名の巨大トラックであり、そのスピードはＦ１並みです。そのスケールは一産業というレベルではなく、あまねく影響を被ります。

技術革新は、大なり小なり淘汰を伴います。新しい技術が既存の技術に取って代わる時、このうねりに乗り損ねた企業は姿を消していきます。産業発展の歴史は企業淘汰の歴史であり、ことITネットワーク革命以降、事業環境の不確実性はいっきに高まりました。そのあおりを受けて、大規模な企業破綻が、時には連鎖して世界各地で起こるようになったのです。

かつては破綻に至る前に、株主や債権者の牽制、あるいは組織の自浄作用によってこれを食い止めることができました。また破綻を余儀なくされた例も、最近のタイコ・インターナショナル、エンロンやワールドコムのように、経営陣に魔が差したものが多く見られます。実際、アメリカ保険業界の連鎖破綻やS&L（貯蓄貸付組合）危機にしても、日本の金融業界に起こった淘汰にしても、倫理やコンプライアンス（遵法義務）のブレーキが壊れていたことが主たる原因です。これも環境変化がもたらした必然であるとも言えなくはありません。

シリコンバレーの台頭に始まり、後にニュー・エコノミーという言葉で表現されるような「破壊的変化」による悲劇は、これらとまったく次元が異なります。それはビルの爆破解体のごとく、技術革新や環境変化というダイナマイトによって、個々の企業はもちろん、いきなり業態そのものが「突然死」するのです。ヘンリー・A・キッシンジャーは、かつて国務長官を務めていた時、「来週に何か問題が起こることはないだろう。何しろ、私の予定はすでにいっぱいだからね」とジョークを飛ばしたそうですが、いまや洒落になりません。問題はある日突然、しかも真っ先に業界の雄が倒れるという事態となって現れるのです。

二〇〇四年二月、タワーレコードの親会社であるMTSが、連邦破産法第一一条《チャプター・イレブン》の適用を申請しました（タワーレコード・ジャパンは、二〇〇二年に日興プリンシパル・インベストメンツと共にマネジメント・バイアウトによって独立して、この難を免れています）。タワーレコードといえば、音楽ソフト専門の大型チェーンとしては草分け的な存在です。それをチャプター・イレブンにまで追い込んだのは、三年前にアップルコンピュータが発売した〈iPod〉であり、同じくアップルが二〇〇三年四月にアメリカで開始した音楽データ有料配信サービス〈iTunes Music Store〉です。この〈iTunes〉を使えば、気に入った楽曲を一曲からダウンロードできます。しかも価格は一曲九九セントという破格値です。

このビジネスモデルの起源は、一九九九年に登場した〈ナップスター〉や〈グヌーテラ〉といった、インターネット上で個人同士が音楽データを交換し合う「P2P（peer to peer）アプリケーション」です。ただし、このソフトで交換される音楽データの大半は不法コピーで、ナップスターは二〇〇三年、破綻に追い込まれました。幸いにも、同年ロキシオに買い取られ、音楽配信サービス事業として甦りましたが。

このインターネットによる音楽配信サービスは、大方の予想を裏切って大当たりしました。先述の〈iTunes〉は、サービス開始からわずか一週間でダウンロード件数は一〇〇万曲を超えました。この一〇〇万曲という数字は、〈iTunes〉に参画したレコード各社が音楽データ配信事業の成否を判断する月間ダウンロード件数として、アップルの担当者に示していたものです。

すでにアメリカでは〈iTunes〉や〈ナップスター〉をはじめ、〈ウォルマート・ミュージック・ダウンロード〉、〈コネクト〉（ソニー）、〈リアル・ワン・ラプソディ〉（リアル・ネットワークス）、〈ミュージック・ネット〉（AOLタイムワーナー／ベルテルスマン／EMI／リアル・ネットワークス）などが乱入し、熾烈な覇権争いを展開しています。動向が注目されていたマイクロソフトも〈iTunes〉に遅れること四カ月後、ヨーロッパ市場で一曲〇・九九ユーロの音楽データ配信サービス〈MSNミュージック・クラブ〉を開始しました。

こうなると、既存のCD小売チェーンはひとたまりもありません。タワーレコードの身売り話は二〇〇三年五月頃から出ていましたが、なす術もなくチャプター・イレブンに頼る事態となりました。ヴァージン・メガストアは、アマゾン・ドットコムの躍進にあわてたバーンズ・アンド・ノーブル同様、クリック・アンド・モルタルの体制を敷いて生き残りを画策していますが、この業態が従来の姿を維持できる可能性はきわめて低いでしょう。

こうしたCDショップの売上げは、まださほど落ちているわけではありませんが、いずれ株式市場が将来を先読みして株価がつかなくなることが容易に予見できます。つまり、私の言う「見えない大陸」のなかの四つの要素のうちの「マルチプル」によって淘汰されるのです。

ブロードバンドによる映像配信の将来性を考えると、レンタルビデオ業界も同じ憂き目に遭うと思われます。実際、タワーレコードのチャプター・イレブン申請とほぼ同時期に、レンタルビデオ・チェーンのブロックバスターが、中国への足がかりとして力を入れてきた香港市場からの完全撤退を発表しました。親会社のバイアコムは、すでにブロックバスターを切り離し、株主に有利な条件で交換を要請しています。これは、売却またはチャプター・イレブンの適用をにらんだ処置と考えられます。一方ではかなりのリスクを覚悟で、ビデオまでが〈iPod〉のようにブロードバンドでダウンロードされる状況に備えており、転んでもタダでは起きないしたたかさと見ることもできます。ブロックバスターは圧倒的な店舗展開で親会社のバイアコムに巨額のキャッシュフローをもたらしてきましたが、かつての輝きは恐ろしいほどのスピードで失われてしまいました。

突然死の危機に瀕しているのは、新興産業ばかりではありません。すでに一九八〇年代末には、レコード針のトップ・メーカー、ナガオカが倒産しています。競合他社にとって模倣が困難であった独自の技術力によって、同社のレコード針は長きにわたって市場優位を築いてきましたが、ＣＤという新技術が登場してレコードが衰退すると同時に、レコード針の需要はいっきになくなってしまいました。新技術を搭載した次世代製品の登場によって、市場が旧世代製品の存在価値を否定すれば、製造企業のビジネスそのものが退場を余儀なくされるということを、私たちはこの目にしていたはずです。

エクセレント・カンパニーといわれたイーストマン・コダック、また富士写真フイルム工業も、予想以上のスピードで進行したデジタル化に足下をすくわれ、急失速しました。世界市場でデジタルカメラの出荷台数がフィルム・カメラのそれを超えたのは二年前のことです。フィルムが売れなければプリント需要も増えないため、この業界では、プリントの特殊紙がはけないことが何よりも痛手です。だからこそ先を競って世界中に現像ラボをチェーン展開してペーパーシェアを競ってきたわけですが、いまとなってはかえってそれが方向転換の足かせになってしまいました。

コダックはフィルム事業を縮小し、プロ市場や医療用デジタル・システムなどに軸足をシフトしました。富士フイルムも設備投資の七割をデジタル機器に振り分ける計画ですが、デジタル市場は成長と同時に競争が激化し、低価格化が加速しています。日本国内のデジタルカメラ市場だけを見ても、輸出を含む出荷台数がこの五年で八倍超に伸びた一方、平均単価は約四割も下落しています。後発企業にすれば、かなり厳しい状況です。

普及版デジタルカメラの登場で旧来のフィルム市場は霧散してしまいました。しかしこれも、まったく予測不可能な事態ではなかったはずです。かつてフィルム業界には数百ものメーカーが存在しましたが、ほとんどが競争の激化やグローバル化の波に洗われ、生き残ったのはわずか四社です。そのうち世界市場を二分するほどのシェアを誇っていたコダックと富士フイルムが、現在最も苦しい状況に置かれています。

コダックも富士フイルムも、デジタル化には十分に備えていたはずですが、従来のルールでパーフェクト・ゲームを実現してきた経験と記憶が判断を鈍らせたようです。既存の資産が負荷となって動きが取れなかったこともあるでしょう。従来のスケール・メリットがマイナスに作用し始めていたにもかかわらず、パーフェクト・ゲームへの未練が縮小もしくは撤退という判断を難しくします。また、ビジネスモデルが完成されているからこそ、小手先の路線修正では対応できないという面もあるのでしょう。

ですが何といっても最大の敗因は、わずか三年で全世界に六〇〇〇万台ものデジタルカメラが普及すると想定していなかった点にあります。脅威は認識していたのに、デジタル化に向けた戦略を構想する段階で、そのスピードと規模を読み違えてしまいました。それ以上に大きな問題が業界の意識です。両社はフィルム業界の勝ち組であり、その手段としてのカメラ業界を前提としています。

しかし、デジタルカメラはパソコンへのインプット・デバイスにすぎません。二万円のカラープリンターで、自宅は「ミニラボ」になってしまいました。さらに、携帯がデジタルカメラを取り込むことによって、カメラはもはや「業界」どころか、単なる「部品」になってしまいました。数あるＩＯ機器の一部にすぎないという認識が、この業界にあったのでしょうか。

その認識のある会社とない会社との顧客を巻き込んだ不毛な戦いも、あと数年で結論が出ます。顧客にとっては無駄な投資となったデジタル機器の墓場がまたできるのです。数年で憤死したポラロイドカメラ、ＭＤ機器、ビデオカメラなどの残骸を見ながら、「戦略とは何か」「構想力とは何か」などについて考えるのも悪いことではありません。そこで忘れてならないのは、最新のテクノロジーを投入してつくり上げた製品でさえ、完成した瞬間から陳腐化が始まるということです。

戦略の変更や、先見を構想に変えるプロセスに時間がかかるような組織は、いかに数々の艱難辛苦を乗り越えてきた大企業といえども生き残れません。伝統的なフィルムやカメラ会社では、毎年二〇パーセント程度のリストラを敢行したとしても復調は望むべくもありません。かといってこれ以上のペースでのリストラも、それに見合うだけの新事業の速成も難しいと思われます。

コダック、富士フイルムやポラロイドの現在のライバルはキヤノンやソニーです。カシオや松下電器産業も善戦しています。しかし、フィルム・カメラを殺したデジタルカメラも、産声と同時に息絶えようとしています。サムスンは携帯電話でカメラそのものを必要としないくらいの機能性を提供して、業界もろとも陳腐化しようという戦略です。同じくソニーでも、エリクソンと合弁している携帯電話は、デジタルカメラ不要の戦略を採っています。いまやほとんどの携帯電話にはデジタルカメラ機能がついていて、ここでもカメラは単なる「部品」になってしまったのです。

人間の目は三〇〇万画素以上の画像を識別できません。つまり、それ以上の画素数は無用です。部品としてのデジタルカメラはこのハードルを越えています。もはやデジタルカメラは、プロのカメラマンや愛好家を除いて、ボーナスをはたいて購入するような商品ではなくなってしまいました。アメリカでは使い捨てデジタルカメラが一〇ドルで販売されています。一世を風靡した使い捨てカメラという業界も死に瀕しているのです。

三つのゲートウェイを押さえる

デルやシスコシステムズなど現代のゴジラ企業は、いずれもサイバー空間で事業を構想した先駆者です。一九八四年創業の両社は四つの経済空間を自在に操りつつ、創業から二〇年を経て、いまなお進化を続けています。彼らに共通する成功のＤＮＡと戦略の違いを分析するには、ｅコマースに必要な三軸、「ポータル」「ロジスティックス」そして「決済」をどのように押さえたかに注目するとよいでしょう。これら三軸を押さえれば、注文を受け、商品を届け、代金を受け取るというプロセスを掌握できます。

ポータル

現在、ウェブ上には五億超のサイト（約一〇〇億ページ）があるといわれますが、このサイバー世界には地図も標識もありません。無尽蔵のなかから唯一無二の目的地を探し始める時、その存在すら知りえないサイトへとガイドするのがポータルです。ポータルは、ひとたび成功すれば、ユーザーのアクセスが乗数的に伸びていくという特性を備えています。これが、まさしくマルチプル経済の法則です。

その利便性は、ボーダーレスなサイバー空間ゆえに広く伝播しやすく、また、強力なブランドと同様に、繰り返し利用される確率も高いのです。二度と使わないという人もいるかもしれませんが、このような人たちの数よりも、リピーターと新規利用者の数が圧倒的に多いため、インターネットの利用者の数が増えれば、これに従ってポータルの利用者の数も増加していくという具合です。

現在、一人勝ちしているポータルといえば、言うまでもなく〈グーグル〉です。〈ヤフー〉に代表されるディレクトリ方式に対し、グーグルが採用したのはパラレル・プロセシング方式です。これはロボット型検索エンジンで自動検索し、キーワード別にデータを自社のコンピュータに蓄積して検索要求にはコンマ数秒で応えます。〈ヤフー〉に圧勝した

〈グーグル〉のトップページは、いまやネット上の広告一等地です。

トップページで「上から三つ」に名前が挙がるかどうかで、アクセス数には天と地ほどの差が生じます。何万件もの検索結果が出たとしても、上から三つくらいまでをクリックするというのがベテラン利用者の傾向です。検索連動型広告が伸びている大きな要因も、ネットユーザーの習性にあります。彼らはインターネットの密林で自分で見つけたものにことさら感動します。新聞などのメディアにほとんど無反応になっているのとは対照的に、ジャングル探検隊は自分で見つけた獲物にはカネを惜しみません。

この「上から三つ」の広告効果は、一回数千万円もする新聞の全面広告以上といわれており、グーグル内部にはこれを有料化しようという話もあります。しかし〈グーグル〉のようなポータルサイトも〈楽天市場〉のようなマーケットプレイスも、その主催者は常に中立的であることが生命線となります。最終的には「行き着いた先のページにバナー広告を出す」というモデルで十分であることが判明していて、その将来価値がグーグルの時価を三兆円に押し上げているのです。

ポータルサイトの中立性が少しでも損なわれれば、ユーザーは「ここはベストではないかもしれない」と疑い、やがて離れてしまうでしょう。出展者も「不当な扱いを受けているのではないか」「同様のサイトはほかにもある」と考えて、同じく離れていきかねません。ネット店舗で一度離反したユーザーや出展者を振り向かせることは、リアル店舗の何倍も難しいのです。商店街にすぎない楽天が旅行や証券の自社店舗を拡大している戦略には、この点から疑問符がつきます。

もちろん、だれが見ても圧倒的に強いマイクロソフトの〈エクスペディア〉のようなサービスになってしまえば逃げ切れる可能性はあります。しかし一般論としては、ポータルはマルチプル経済（将来への期待値が現在の時価を決めます）ならではのスケーラブルなビジネスモデルになっているがゆえに、中立性が損なわれてしまうとせっかく築き上げた成功も瞬時に台無しになりかねません。このことは、アマゾンが一部の書評で出版社からカネをもらっていることが露見して総攻撃を受けたことで証明されています。

ロジスティックス

第二のゲートウェイ、ロジスティックスについては、最適かつ最強のアライアンスを組むことに尽きます。グローバルなエンド・トゥ・エンド（統合化）・サービスは、フェデラル・エクスプレス（フェデックス）、ユナイテッド・パーセル・サービス（UPS）、ニ〇〇一年にＤＨＬを完全子会社化したドイツポスト・ワールドネットの三強がほぼすべてを手中に収めました。日本国内ではヤマト運輸が二四時間体制で同様のサービスを提供しているとはいえ、グローバル・ロジスティックスの舞台では手も足も出ない状態です。

グローバル・ロジスティックスの分野で先手を打ったのはフェデックスです。同社はかなり早い時期にインターネット時代の到来を見通し、一九八〇年代末には顧客がインターネットで自分の荷物の所在を追跡・確認できるシステムを実用化しました。そして、これをテコにデルやシスコなどアメリカの大手ＩＴ企業の物流をほとんど一手に受注し、飛躍的な発展を遂げたのです。学生寮の一室で産声を上げたデルにとっても、ごく初期にフェデックスという強力なロジスティックス・パートナーを得たことが大きな成功要因の一つです。

デルのシステムは非常に特徴的で、発注側と受注側のシステムが一つになって、全体のＥＲＰ上で稼働しています。ＣＲＭ（カスタマー・リレーションシップ・マネジメント）とＳＣＭ（サプライ・チェーン・マネジメント）が合体したようなこの画期的システムを可能にしたのが、フェデックスのＬＥＣ（ロジスティックス・アンド・エレクトロニック・コマース）です。デルはこれを自社のシステムにつなぎ、デリバリー関連のいっさいをフェデックスに任せました。最強かつ最適なロジスティックスを押さえたからこそ、デルは注文生産のパソコンを素早く世界中の顧客に届けられるのです。ロジスティックスの進化がなければ同社の成功もなかったかもしれません。

アパレル分野でデル・モデルを推し進めているのは、〈ZARA〉などのブランドで知られるスペインのグルポ・インディテクスです。スペインのラコルニャにある同社の物流センターのロジスティック・システムは、トヨタのカンバン方式とフェデックスの高速マテハン・コンベアーを採り入れ、後半をDHL（現在ドイツポストの傘下）でつなぐという、実に壮大なものです。これにより同社は、世界中にある二〇〇〇もの店舗から週に二回注文を受け、ヨーロッパでは二四時間、アメリカは四八時間、日本には七二時間以内で納品する「店舗在庫ゼロ」のシステムを築き上げています。私はこのシステムを見て、他社の追随を許さないという、同社の気迫を感じました。

製品やサービスの流れと情報の流れの両方を掌握することで、世界各地へのデリバリーを必要とする顧客とのリレーションシップを深め、ポータル同様、リピーターを確実に獲得します。さらにこのようなサービス・システムをグローバル展開することで、まさしく規模の経済を享受し、またその規模ゆえに、ニュー・カマーの登場や参入を困難にしていきます。こうしてフェデックス、ＵＰＳ、ドイツポストの三強は、グローバル・デリバリー・サービスというインフラ事業分野の覇権を握ることができたのです。

決済

第三にして最後のゲートウェイとなる決済については、いまのところ既存のクレジットカードがサイバー上でも主流をなし、市場はＶＩＳＡとマスターの二社でほぼ完結していると言っても過言ではないでしょう。ただし、新規参入が難しいロジスティックスと違って、決済の領域はこの先一波乱あってもおかしくない状況です。その理由の一つは、クレジットカードが基本的に一〇ドル以下の少額決済を苦手としている点にあります。

オンラインで提供するデータやサービスを有料化して広く薄く稼ぎたい場合、たとえば音楽データが一曲九九セント、写真一枚三〇セントといった価格の商取引にクレジット決済を導入すると、クレジットカード会社に支払う手数料が割高なため、ビジネスとしての旨味はなくなってしまいます。こうした少額決済の手段として有望視されているのが、ソニーが進めるプリペイド式の非接触型ＩＣカード〈Ｅｄｙ〉です。今後の展開によっては、特にＵＳＢで簡単にパソコンにつけられる読み取り装置が二〇〇〇円以下になれば、これが世界標準になる可能性が出てきます。
詳細な利用明細と共に月単位で一括請求する、いわゆるポストペイド（後払い）の公共料金システムもプラットフォームを握る可能性があります。関西で始まった〈Ｐｉｔａｐａ〉などがこれに当たります。すでに確立している月末一括引き落としの公共料金などの帳合いを使えば、さらに簡単な少額課金のシステムも展開できるでしょう。日本の場合、役所の怠慢と無理解が大きな壁になっていますが、ＮＴＴにしても東京電力にしても、既存のシステムを活用すれば、わずかな投資でサイバー世界の「電子財布《デジタル・ウォレット》」として十分に機能するはずです。

サイバー世界の決済に波乱が予想される第二の理由は、クレジットカードの存在意義です。クレジットカードとは、本人確認ができない時代に生まれた信用創造サービスです。カードホルダーの社会的地位・信用や支払い能力をカード会社が保証し、万が一支払いが滞っても、加盟料を払っていれば全額を補償するというものです。

しかし、ユビキタスの世界では、本来、第三者による与信は必要ないはずです。ユビキタスの本質とは、いつでも、どこでも、インターネットで瞬時につながり、本人確認（あるいはその人の支払い能力の確認）ができることを意味します。つまり、個人がみずからの信用を創造できるのです。

たとえば、フロート式のデビットカード決済を実用化すれば、店側は五万円の買い物をしようとしている顧客の口座に十分な残高があることを確認して、そこから五万円分をロックできます。専用の認証機器などを導入せずとも、パケット通信を使えば、照会と認証の往復で一件当たりの処理コストは一円未満です。これなら一曲九九セントの音楽配信ビジネスも収益性を格段に高められます。この方式は、私が日本最古のビジネスモデルとして、一九八二年に日本とアメリカで特許を取得しています。業界と役所の妨害に遭ったため今日まで実現できていませんが、「聖域なき構造改革」を持ち込んでもらいたい領域の一つです。

インターネットの世界には「フリクション・フリー」という概念があり、摩擦（決済では代価回収のコスト）がより少ないところにヒトもカネもいっきに流れていきます。法規制というフリクションが解消されれば、今後クレジットカードよりもフリクションの少ない決済サービスはいくらでも出てくるはずです。

前述の〈Ｅｄｙ〉はプリペイド方式ですが、ユビキタス時代の決済手段にはポストペイドの機動性も求められます。また、ボーダーレスな経済空間での使い勝手を追求するなら、決済通貨が任意に選択できるものが望ましいと考えられます。クレジット、プリペイド、ポストペイドの三機能を兼ね備えた一枚が誕生し、そこにフロート式デビットカードなどで総合口座を自在に組み合わせれば、決済管理のフリクションはより少なくなります。

数年もすればこうした決済手段がクレジットカードを追い落とし、サイバー世界の決済を独占しているかもしれません。そのなかで何を選択し、どのように財布の仕組みと成功の十分条件を構想するかが、先見したビジネスの勝敗と明暗を分けるのです。

八億人市場でデファクト・スタンダードを築く

構想力には複眼的な視点が要求されます。成功の必要条件となる社会のニーズを見極めるにしても、特定の国や地域だけに注目して固定的に思考してはなりません。これは文字どおり命取りとなります。グローバル化やボーダーレス化とは、単に国境がなくなり、世界規模で自由に取引できることを意味するのではありません。どこからともなくライバルが出現したり、カオス理論のたとえの一つ、「北京でチョウが羽ばたくと、ニューヨークに竜巻が起こる」がごとく、地球の裏側で起こったあずかり知らぬ出来事が、回り回ってわが身に深刻な影響を及ぼしたりします。

九・一一がいまだに世界中の物流や移動の自由に影響しているのは、物事の相互依存性が世界規模に広がり、原因と結果の関係が複雑になっているからです。私が「これまでのルールは通用しない」「常識を疑え」「現状に安住するな」としつこく繰り返すのはこのためです。そこで求められる姿勢として、世界の主要市場には最初から等距離であること、つまり、開発の段階から複数の市場を視野に入れて事業を構想することが重要なのです。ネスレやジョンソン・エンド・ジョンソンといった消費財メーカーは、かねてからこのようなアプローチを実践し続けています。

日米欧のトライアド（三極）で消費者の同質化が始まったのは一九六〇年代のことです。一九八〇年代に入るとその傾向はより顕著となり、企業はすべての主要市場に対してほぼ同時に、かつ迅速にアプローチする必要に迫られました。その動向や変化を詳細に分析し、国際企業戦略の新たな視点を提起したのが、一九八五年に上梓した『トライアド・パワー』（講談社）です。

この同質化の流れはＩＴネットワーク革命によってさらに加速し、いま地球上には学歴も、所得も、生活様式も非常によく似た八億人の消費者が存在します。国籍や在住国に関係なく、所得水準や消費性向が酷似した八億人が、インターネットを通じて同じ情報を同じタイミングで享受しています。タワーレコード、ブロックバスター、コダック、富士フイルム、ポラロイドなどに共通するのは、八億人規模の「レディネス」（readiness：準備完了！）が加速する変化のスピードとスケールを正しく予見できなかった点です。

現在、一〇億台ものパソコンが世界各地に遍在し、日米欧を中心に韓国や中国、インドなど世界中で約八億人がインターネットのプロトコルＩＤを所有しています。八億人といえば、世界総人口の約一三パーセントです。ちなみに、一万ドル以上の所得を得ている人口は七億人といわれており、そのほとんどは〈ウィンドウズ〉環境で日常的にインターネットにアクセスし、多くが〈グーグル〉で情報検索をするのです。初めてインターネットに触れる人でも、五年も経てばみな同じような使い方をするようになります。これはつまり、一定の経済力を備え、かつサイバー世界の新たな動きにレディな人たちが、同質同等の情報をほぼ同じタイミングで得ていることを意味しています。行動パターンやライフスタイルが次第に似るのは当然です。

このようなグローバル市場の存在を前提に考えれば、デジタルカメラがフィルム・カメラの代替品として普及したわけではないことが理解できるでしょう。デジタルカメラはパソコンの「入力デバイス」だったのです。また、カメラ付き携帯電話がデジタルカメラを代替してしまったのも同じ理屈です。そこにはすでに、パソコンを日用必需品として使い、デジタル化に親しんでいる八億人規模の「準備完了」市場があったのです。

〈iPod〉や〈iTunes〉も右に同じです。しかも音楽には、そもそも国境や言葉の壁を軽々と超えてしまう力があります。世界のどこかでオンライン音楽業界が活気づけば、CDという物理的な制約を抱えた商品に拠っていた業界にドミノ倒しが起こり、たちまち世界中に広がります。いくら国が規制を施したとしても、八億人規模のグローバル市場のニーズに抗うことなどできません。

かつてのように自国での成功を引っ提げて海外進出する、カスケード（滝）型の事業展開では、自国向けに開発した製品やサービスを海外仕様につくり替えている間に、他社が同じような製品やサービスを提供して市場を先取りしてしまいます。しかも自国市場も等しく変化しており、そこでの成功もすぐに過去形になってしまうのです。そうなれば世界展開はおろか、初期の開発費さえ回収できません。

そもそもグローバル・スタンダードに乗らない製品やサービスに、大きな需要は期待できません。ボーダーレスな経済空間を制するには、まず八億人のニーズを精査し、最初から八億人に受け入れられる製品やサービスを構想することが重要です。中国で飛ぶように売れている携帯電話は、中国モデルではなく、日本やヨーロッパの最先端のモデルです。三〇年以上もモデルチェンジのなかったインドの国民車とは根本的に違います。

二一世紀型のビジネスモデルに求められるのは、グローバル・スタンダードへ段階的に育て上げるのではなく、グローバル・スタンダードそのものを生み出すことです。そのうえでスプリンクラー型の事業展開を構想し、世界同時性を追求しなければなりません。営業力についても、自社でカバーできなければ戦略的提携を組み、すべての戦略地に瞬時に展開できる営業力を配置することが肝要です。

かつてウォルト・ディズニーは、夢の王国を建設するため、フロリダ州オーランドに白羽の矢を立てました。そこには手つかずの広大な土地が広がり、一年中暖かく、地理的にも東部の人々を呼び込めると考えたのです。その構想は彼の死後、「ウォルト・ディズニー・ワールド」として実現し、一一〇平方キロメートルの規模に発展しました。これは、実にマンハッタンの二倍、山の手線内側の一・五倍に相当します。

“Think《シンク》 Big《ビッグ》! Think《シンク》 Bigger《ビッガー》!”——来場者が年間二五〇〇万人にも達するというこの事業は、ディズニーの壮大な夢が発端でした。それは、三〇年を経たいま、厳しい競争を生き抜く新たな条件として表れた、八億人の社会を「一つの市場」としてとらえるという命題をも見事にクリアしているのです。

予兆をつかんだら、すぐに行動する

〈iPod〉の登場から三年、CD小売チェーンの売上げは対前年比で二〇パーセントほど減少しました。コダックや富士フイルムのそれはマイナス一〇パーセント前後です。この程度の風雪ならば、「三白景気」の担い手であった精糖、製紙、セメント――彼らも淘汰の波にさらされ、とうの昔に衰退産業に属しています――は言うに及ばず、造船や鉄鋼、家電など、どこの業界も経験してきたといわれるかもしれません。

かつてならば、たとえば、さらなる技術革新に励む、発展途上国に次なる需要を求める、隣接する事業領域に進出することで、その落ち込みを償うことができました。それは、いまでも一部の産業で有効でしょう。しかし、デジタル経済の波に洗われた事業や産業の場合、八億人のニーズに応えられなくなったとたん、終わりが見えてしまいます。だから、アンドリュー・グローブは、「パラノイア（異常なほどの心配性）でなければ、生き残れない」と言うのです。

変化が激しいということは、方向を見誤ったり、失策を犯したりした場合、その立て直しに与えられる猶予期間が以前よりも短いということです。しかも、グローバル化とは、このような激しい変化が瞬く間に世界中に波及し、文字どおり世界規模で大波がたえず押し寄せ、逃げ込める市場は残っていないことを意味します。かつてならば、先進市場で売れないミシンや電話は途上国や低開発国で売りさばくことができました。しかし、いまや途上国ほど携帯電話や安物の既製品があふれ、その素地は少なくなっています。

しかも、繰り返しますが、現在の経済には「マルチプル」という特性が備わり、物事は累乗的に拡大していきます。ただし、それは必ずしも右肩上がりに作用するわけではありません。右肩下がり、すなわちマイナスにも等しく向かいます。その様子を思い浮かべるならば、株式市場が二〇〇三年のＢＲＩＣｓ（ブラジル、ロシア、インド、中国）のように天井知らずに高騰していくこともあれば、一九九七〜九八年のアジア危機に端を発した世界経済の試練のように底なしに落ち込んでいくこともあるようなものです。

多くの業界に、いわゆる「二極分化」、勝ち組と負け組の明確な棲み分けが起こっています。この現象は、勢いのある企業は株価収益率などのマルチプルを最大限に利用して、ますますその勢いを増していく一方、勢いを失った企業は株価もつかず衰退のスパイラルに陥っていきます。プラスに累乗的に発展していく企業か、マイナスに累乗的に減退していく企業かに振り分けられ、可もなく不可もなくという中間は存在しません。つまり、合格か不合格かなのです。

インターネットはもとより、デジタル技術やネットワーク技術が台頭してきた時、ハーバード・ビジネススクール教授のクレイトン・M・クリステンセンは、これらの技術を"disruptive technology《ディスラプティブ・テクノロジー》"と表現しました。日本では「破壊的技術」と訳されていますが、そもそも"disruption《ディスラプション》"とは、進化における「分岐」という意味です。また、こうした情け容赦のない淘汰を「ブルータル・フィルター」(brutal filter)と表現することもあります。まさしくＩＴは、企業を進化か淘汰かという分岐に立たせる、破壊的技術だったといえるでしょう。

フィルム・カメラやＣＤが対岸の火事ではなく、予兆の一つであることは言うまでもありません。通信、金融、医療、教育といった産業も破壊的技術の影響を受ける可能性は大いにあります。したがって、突然死の可能性も高くなるのです。通信業界では、すでにその攻防が始まっています。日本国内の携帯電話加入件数がＩＳＤＮを含む固定電話のそれを抜いたのは四年前ですが、アメリカでIP電話への加入が急速に増え始めたのもその頃です。その後、二年足らずのうちにPBX（電話交換機）でも、IP電話対応型が従来型を追い落としました。それぞれの推移をたどってみれば、従来型の市場が消えてなくなるのは時間の問題であることがわかります。

日本でもIP電話の導入が本格化していますが、操作性や音質など技術的な課題が解消され、普及に拍車がかかれば「市内外」「長距離」「国際」といった区分はいっきに陳腐化するでしょう。電話工事やPBXの保守・運用などを担う周辺業界への打撃も深刻です。また、すでに携帯電話の半数以上がネット対応型であることを考えると、そこには別の業界未来図も見えてきます。

金融の世界でも進化と淘汰の動きが進んでいます。そのカギを握るのは、やはり非接触型ICカードの動向でしょう。なかでも注目はJR東日本の〈スイカ〉の展開です。同社は二〇〇四年春、ソニーとNTTドコモが共同出資する携帯電話用ICカード開発会社、フェリカ・ネットワークスへの資本参加を発表し、注目を集めました。電子マネーとして使えるIC乗車カード〈スイカ〉の機能を搭載した携帯電話〈モバイル・スイカ〉を導入するためです。

ソニーが開発した非接触型ICカード〈フェリカ〉を、ドコモの第三世代携帯電話〈FOMA〉に搭載する計画が発表されたのは、そのわずか半年前のことです。〈フェリカ〉の技術は〈スイカ〉にも使われていますが、現行の〈スイカ〉のようなプリペイド機能に加え、ポストペイド機能、クレジットカードの三機能を備えています。

香港の地下鉄をはじめ、すでに世界で五〇〇〇万枚の〈フェリカ〉を供給しているソニーと、四五〇〇万人もの加入者を抱えるドコモ。この両者に、サービス開始以来、通勤・通学者を中心に七〇〇万枚の〈スイカ〉を発行し、二〇〇四年三月に電子マネー・サービスも始めたJR東日本が加わって一体となれば、携帯電話をかざして改札を通過し精算は月末、すなわちポストペイドとなります。同じカードでクレジット払いの買い物も、プリペイドで小銭遣いの用も足せる、という光景が見えています。関西では阪急電鉄などを中心にそうした機能をすでに搭載したシステムが供用されています。

プラスチックのクレジットカードは何枚持っていても、頻繁に利用するのは基本的に一枚といわれます。これが毎日必ず使う定期や携帯電話と一体化すれば、それが「第一カード」になる可能性は高く、最初から相当数のユーザーを見込めます。

ソニーには〈フェリカ〉のほか、プリペイド専門のカード型電子マネー〈Edy〉もあります。こちらはユーロ、ドル、円の頭文字を取っていることからもわかるように、世界の統一通貨を目指しています。各国政府ではなく、民間企業がプリペイド方式によって通貨を発行しようというわけで、携帯電話でのサービスを開始した二〇〇四年七月以降、着々と利用が広がっています。日本道路公団が民営化されれば、ETC（自動料金収受システム）がこれらの機能を吸収するという絵も描けないわけではありません。

どこが、どのようなタイミングで電子決済のプラットフォームを握るのか。デファクト・スタンダードとなるには何がカギとなるのか――。重要なのは、その答えが出る前にみずから構想し、その実現に向けて動き出すことです。

収益化できる事業を絞り込む

世界に冠たるエスタブリッシュメント企業であろうと、一世を風靡した新興の覇者であろうと、時として変化の前にひとたまりもなく吹き飛んでしまうのは、一つには「選択」の段階で判断に曇りが生じるからです。みずからが導き出した成功法則もまだ通用し、その成功法則を生み出したコア事業もまだ収益の柱を担っている、と安易に考える企業が大半ではないでしょうか。

こうした企業のリーダーたちは、仮に変化の予兆が見えていても、既存の殻を破るようなチャレンジには概して慎重です。それゆえ既存と新規を「ＡＮＤ」でつなごうとします。しかし、このようにＡＮＤでつないでいくと、既存事業の固定費が足かせになって、新規事業へのアクセルを十分に踏み込むことができません。臆病な多角化は機動性を失うばかりか、「あれもこれもシンドローム」（あれもこれも手を出すが、あれもこれも失敗する）に陥ってしまいます。旧大陸の産業基盤と関わりを持つことが、新大陸での成功を困難にするのです。

ソニーは非接触型カードの要素技術で圧倒的に優位でありながら、決済というプラットフォームを構築できず、部品メーカーを脱し切れません。日立製作所は〈ミューチップ〉という優れた製品を開発しましたが、全社を挙げて物流専門会社に変身しようとはしません。「選択と集中」と口では言いながらも、持ちすぎること、平等すぎることが実行につながらない原因となっています。

ここ数年の産業社会を概観すると、環境変化の性質のみならず、私たちがいま直面している淘汰の規模とスピードがある程度見えてくるはずです。その第一の節目は一九九八年のクリスマスでした。私はこの日を「ポータル・メモリアル・デー」と呼んでいます。わずか七年前の話ですが、当時はまだ「インターネットは商売にはならない」「しょせんは情報の発信・検索ツールでしかない」という声が大勢を占めていました。ところがこの年、アメリカのクリスマス商戦でオンライン小売業がギフト市場の実に一〇パーセントを売り上げたのです。その額は前年比で三倍に急伸しており、eコマースの将来性を世に知らしめることとなりました。

時期尚早と傍観を決め込んできたエスタブリッシュメント企業を尻目に、この記念すべき日に勝利を収めたのがアマゾンであり、この機を逃さず飛躍の糸口をつかんだ企業の一つが、インティメート・ブランドが運営するランジェリー専門ショップ〈ビクトリアズ・シークレット〉です。ポータル・メモリアル・イヤーにオンライン販売を開始した〈ビクトリアズ・シークレット〉は、翌年の二月には自社のファッション・ショーをインターネットで生中継し、大きな話題を集めました。当時すでにアメリカ全土で八〇〇もの店舗を展開していた同社は、グローバル展開の軸足をオンライン一本に定め、急速に売上げを伸ばしていきました。現在も日本に同社のモルタル店舗は一軒もありませんが、それでいて日本人女性の年間購入額は一〇〇億円規模に上るといわれています。

一九九五年七月にサービスを開始したアマゾンは、ポータル・メモリアル・イヤーに六億ドル以上を売り上げ、前年比三一三パーセント増を記録しました。この年のホリデー・シーズンのサイト訪問者数は実に九〇〇万人超でした。創業からわずか三年半で、アメリカ国内の書店業界では売上高第三位（一位はバーンズ・アンド・ノーブル、二位はボーダーズ）、オンライン企業としては第二位（一位はデル）にのし上がったのです。

当時のアマゾンの快進撃はいまさら語るまでもありませんが、同社にも、一九九七年に株式公開して以来五年間で二〇億ドルの営業赤字を累積し、長いトンネルをなかなか抜け出せず、行く末が案じられた時期がありました。その最大の理由も、事業を「ＡＮＤ」で不用意に広げてしまったことです。せっかく先見を構想化し、第一の成功を収めたにもかかわらず、多くのエスタブリッシュメント企業が踏んできた失敗の轍をアマゾンも踏襲しつつありました。たとえば、物流コストを抱えないところにユニークさがあったのに、倉庫会社を買収したり、小売業界の歴史を繰り返したりと、家具などまで売る百貨店化に走ったことです。資本市場には温情も様子見もありません。アマゾンの一連の拡大路線に対して、ためらいなく反対票を投じました。

しかし、アマゾンはこの過ちに気づきました。自社サイトの百貨店化を断念し、自社倉庫もリストラして初心に返りました。書籍、CD、ビデオソフトなどデータベース・マイニングが有効な商品にリ・フォーカスしたのです。また、みずからが百貨店やショッピング・モールになるのではなく、顧客基盤の規模を生かして「サイト貸し」で手数料を稼ぐビジネスモデルに切り替えました。

このようにANDから「OR」へと大きく舵を切り直し、かつコストの大半をインドにBPO（ビジネス・プロセス・アウトソーシング）するなどして、ほどなく結果は出ました。二〇〇二年に初めて営業利益を計上し、二〇〇三年の決算でついに黒字転換を果たしました。ただし、このアマゾンのミスを見逃さず、大攻勢をかけてくるライバルやニュー・カマーが出てこなかったのは何とも幸いでした。

ANDからORというと、やはり選択と集中が重要なのだと、早計に結論してしまう人もいるでしょう。また、一九世紀のマーシャル・フィールドやR・H・メーシーズといった百貨店の台頭、その後のショッピング・モールの登場、そして専門ディスカウント・ショップへの移行といった小売業の歴史をたどれば、当然の帰結と考える人もいるかもしれません。

いずれも状況証拠から演繹すれば、正しい結論のように見えますが、このような論理に身を委ね、確信を持って意思決定できるかを自問自答してみてください。その際、不確実性の高い市場で競争優位を生み出すのは、パーソン・スペシフィックであり、タイミング・スペシフィックであり、アマゾンのライバルたちには、これら二つの要素が欠けていたことを考えてください。

ＯＲとは、単に経営資源の効率化やコア事業への注力を意味するのではありません。前述の言葉で言えば、分岐点に立たされた時、何を選択するかです。もちろんこれは、ひとたび道を決めたならば、ドンキホーテよろしく猪突猛進すればよいというような単純な話ではありません。意思決定力の源泉は、みずから描いた構想への自信であり、またその構想をいつでも見直し、破き捨てることのできる覚悟にあります。こだわるけれど頭のどこかは冷めていて、己の先見や構想を信じながら、その一方でたえず疑うという、高次元の姿勢が要求されるのです。

逆行の発想で事業を再構想する

経営者は時として自分がつくり出した幻想の世界に埋没し、経済的な現実性を冷徹に検証する力を失ってしまいます。〈イリジウム〉の失敗の原点もここにありました。人間は、思い込みや経験値をリセットしてゼロから何かを発想するという作業がそもそも得意ではありません。しかし「逆行の発想」を習慣づけ、これを鍛えることでジャングルでの致命傷を未然に防ぐことは可能です。みずからの構想が成功の根拠とした定説、あるいは経済法則を否定し、そこから事業を再構想してみるのです。

先見したチャンスやビジネスをファンタジーに終わらせないためには、「自己否定」という逆行をみずから進んで受容する勇気も必要です。いつの時代も、最大の敵は自分自身です。発電、家電、メディカルといった旧来型の事業を柱とするゼネラル・エレクトリック（GE）の業績が依然衰えないのは、たえず自己否定を繰り返していることにあります。

かつて元CEOのジャック・ウェルチは「すべての事業にアンチをつけてみよう」と号令をかけ、「デストロイ・ユア・ビジネス・ドットコム」（いまの事業を破壊しよう）なるチームを立ち上げました。重電事業部にはアンチ重電事業部、家電事業部にはアンチ家電事業部といった具合です。慣れ親しんだ流儀を守り、デジタル化に背を向ける人々の意識を変えさせ、既存事業に新しいビジネスモデルを組み入れるために、自己否定を制度化したのです。

そもそもウェルチは現状維持や停滞を嫌いました。彼は「自己否定できない企業は滅びる」と断じていますが、そこで「ライバルの発想は利益をもたらす」、つまり「ライバルはGEにどのような攻撃を仕掛けてくるか」という問題を考えさせることで、進化を促しました。

このようにライバルの視点を取り入れてダイナミックに自己変革する企業もあれば、あえてライバル事業を社内に興して成長している企業もあります。後者の事例として注目すべきは、やはりリクルートでしょう。紙媒体のチャンピオンだったリクルートは、その成功を自己否定し、一九九〇年代半ば頃からナビ系のウェブサイトを次々と立ち上げました。すべてのサイトが利益につながっているわけではありませんが、一九九七年に開設された就職情報サイト〈リクナビ〉には毎年、対象となる学生の実に九割が会員登録し、圧倒的な強さを見せています。

〈リクナビ〉が開設された当時、出版界の多くは紙媒体の市場を容赦なく飲み込んでいくかもしれないサイバー・ビジネスをただただ否定するだけでした。しかし創業者である江副浩正氏の「どうせ淘汰されるならば、リクルートの人間に淘汰してもらいたい」という言葉にも表れているとおり、同社はカニバリゼーションしながら脱皮し、それを進化の原動力としています。常に最善かつ最高のアウトプットを生み出すために、必要とあれば昨日までの仕事、目標や実績を全否定することを選択するのです。

これは伝統的な企業にはなかなかできないことです。その例外中の例外として注目されるのが、親会社のプラスを否定して生まれたアスクルです。文具メーカーのプラスにとって、製品を販売してくれる文具店は大切な得意先です。しかし、アスクルは文具店の顧客を奪うことにもなる通販モデルを採用しました。それは、これら文具店が「エージェント」（取次店）として、顧客の開拓や集金などの業務を担うというものです。

業界の常識を覆すビジネスモデルだったうえ、アスクルはプラス以外の製品も扱いました。低単価の商品も多いのに、あえて値引きをしたのです。注文から配送まで一週間のタイムラグが常態だった当時、アスクルは翌日配送を始めました。反発の声は社内にも強くありましたが、プラスは自己否定するこの新規事業を「生き残りをかけた遺伝子の組み換え」と位置づけて、社外で推進しました。

岩田彰一郎社長によれば、検討段階では三〇人近くいたメンバーが、いざ出発という段にはわずか三名となり、文字どおりゼロからの出発だったそうですが、実はこれが「脱プラス」に効いたといいます。三〇名の古い遺伝子を持った人々が始めたのでは、親会社を否定することは容易ではないからです。その自己否定が英断だったことは、アスクルがカタログ通販分野で国内最大級の企業に成長し、プラス・グループの稼ぎ頭となっていることからもうかがえます。業界のエクセレント・カンパニーであるコクヨも、後に〈カウネット〉を立ち上げましたが、やはり強い意志を持って先にジャングルへと飛び込んだ者のほうが、スピード感もパワーもはるかに上回っています。

みずからの足場を脅かすネット事業をみずからの手でつくり育てるリクルート。親会社のプラスを否定して生まれたアスクル。この二例は別として、旧大陸に一定の事業基盤を有する企業が新大陸でも優位に立つというケースはきわめて稀です。証券業界のガリバー野村証券が、なぜ松井証券やイートレード証券の後塵を拝さなくてはならないのか、それが問題なのです。新大陸と旧大陸ではそもそもゲームのルールが違うとはいえ、旧大陸のことをまったく知らずに勝てる分野も、実は非常に少ないのです。

見えない大陸を勝ち抜くには、新旧両大陸に関する深い洞察と理解、そして徹底的な自己否定が強く求められます。では、そこで自分の何を否定し、何を生かすのか。これを取捨選択するのも、また構想力なのです。

成功を過去形で語る人材に投資する

ジャングルを切り拓く構想力を育てることは、組織の遺伝子を組み換えることにほかならず、そのためには大胆な投資を意思決定しなければなりません。ただしこの投資は、必ずしも見返りが得られるとは限らないことを、あらかじめ理解しておくべきでしょう。大ざっぱにいえば、現在のコア事業に三分の一、基礎的なR&Dに三分の一、残る三分の一を新大陸のルールで発想できるニュー・タイプの人材、言い換えれば、過去の成功体験や現状を「過去形」で語ることができる、とらわれのない才能に投資すべきだと私は考えています。

プラス・グループの人事戦略を見ても、中途入社の頭脳が現状否定と成長の大きなエンジンになっていることがわかります。またソニーの〈Edy〉がビジネスとしてテイクオフできた背景にも同様の人材戦略がうかがえます。かつてシスコはジョン・チェンバースという逸材を得て（彼はIBMとWANGラボラトリーズでビジネスの経験を積みました）、驚異的な成長を果たしました。デルも伝統的な大企業を反面教師に、独自のビジネスモデルで躍進を続けています。業界環境が厳しさを増すなか、同社が二〇〇四年一月期に前期を上回る営業利益率八・六パーセントを記録したのは、顧客志向のビジネスを追求するマイケル・デルという稀代の才能があればこそです。

チェンバースが「従来型の企業からネット企業へと変身を遂げた最高のお手本」と称賛するGEにも、無意識の自縄自縛から抜け出そうというDNAが強く感じられます。ジャック・ウェルチ自身は「自省」という言葉でこれを表現していましたが、現状に満足することなく、みずからが築き上げた事業の脆弱性や死角をみずからの手で見つけ出し、改革していく行動様式がなければ生き残ることはできません。現代版ゴジラ企業は、変化し続けるからこそ「ゴジラ」なのです。

すべてが大きく変わっていく世の中で、変化に耐えうるには、いつも自分を客観的に見て、自分自身を変えていかなければなりません。限界なき自己変革は、先見と構想のプロセスをたえず回し続けることで実現します。

これまで、多くの人がさまざまに近未来を予言してきましたが、そのほとんどはすでに過去形となりつつあります。これらを一度棚卸しして、整理・検証する必要があるのではないでしょうか。そのうえで、現在進行形の事象も含めて、それらすべてが過去形であるという事実を確認することが次代を構想するスタートラインとなるでしょう。未来は突然訪れるのではなく、小さな過去の積み上げのうえに大きな飛躍があった時に、主潮流となって現れます。つまり、いま起こっていることを直視して、それを外挿することによって未来の社会、将来の事業を構想できるのです。

現在進行形の事象・変化には、必ず何らかの力が働いています。これをマッキンゼーではＦＡＷ（forces at work：作用する力）と呼びますが、まさにこの激流のなかの本当に重要な力が何かを見抜いて、それを外挿して事業の構想を練るという作業が、いま最も価値の高いものであると考えられています。たくさんのシナリオをつくってはいけません。たくさんのシナリオから成功への必要十分条件を満たしているもの一つを選択し、タイミングよく実行することが必要なのです。

「深度の経済」を追求する

変化のスピードと規模に対抗するには、機動力のあるシステムを早い段階で構想し、軸足を定めて狭く、深く攻め込む必要があります。競馬にたとえるならば、競馬場を運営したいのか、馬主になりたいのか、それとも馬券を買って大穴を当てたいのかを決心することです。鉄道事業ならば、線路を敷いてインフラを押さえたいのか、線路の周辺で不動産事業を興したいのか、事業貨物を運んで物流を制したいのか、あるいは駅舎にテナントビルを建てて小売業で儲けたいのかを決めるのです。

日本の私鉄を見れば、古きよき時代にはこれらをすべてANDで結ぶことが可能だったことがわかります。しかし、そうした私鉄のほとんどがいま、時価総額が新規鉄道敷設コスト一〇キロメートル分にもなっていないことを考えると、市場は彼らに退出を指示していると解釈できます。

まず、自分が目指す事業の核となるものを狭く定義し、追随を許さぬ深さを追求することが重要です。これをとことん考え、日本の家庭におけるピアノの普及を世界一にしたのが、ヤマハの中興の祖、川上源一氏です。ヤマハは戦後間もなくしてピアノ製造を再開しましたが、当時の日本の一般家庭は貧しく、高価なピアノなどとうてい購入できませんでした。ピアノを買ってもらうために彼が採った戦略は、子どもを持つ家庭でピアノ用の貯金をしてもらい、子どもたちにはヤマハ音楽教室に通ってもらうという方法でした。「ピアノを買ってください」という代わりに、「音楽をお教えしましょう」というわけです。

これぞまさしくマーケティングの真髄というシステムを、貧しい時代の日本で築き上げたのです。

規模の経済があるように、「深度の経済」というものもあります。特にサイバー経済においては、「狭く、深く、かつ速やかに」が成功の必要条件となるのですが、これを徹底できる人は稀です。新大陸には手つかずの土地が果てしなく広がっているせいか、ちょっと成功するとどこまでも行けそうな気になってしまいます。楽天は他人に市場を提供することではなく、自前の証券や旅行会社を押しつけたくなります。また、マルチプルを利用して野球チームを経営したくなります。

開拓期のアメリカ同様、二一世紀のビジネス・ジャングルには道も境界もありません。だから思い切り遠くに自分の柵を打ち、広い土地を使って思いつく限りのことをすべてやり尽くしたいという欲が出てくるのでしょう。しかし、アマゾンの失敗に学ぶならば、いたずらに多角化や拡大を志向すると、肝心の機動性が損なわれてしまいます。また、アマゾンの幸運を裏返せば、ひとたび機動性が失われると、そこにつけ込んでライバルが登場し、新分野を開拓するどころか、安住の地と信じた市場さえ失いかねません。

そんな時代に突入したことを実証したのが、フィルム業界の凋落であり、タワーレコードの悲劇です。セオリーや過去の成功体験に安住していると、だれかに寝首をかかれ、さりとて無闇に新しい鉱脈を求めてあちらこちらに穴を掘ってみても、無駄骨に終わったり、だれかに横取りされたりするのが関の山です。

このような時代を戦い抜くには、まず現実に起こっている事実の数々を虚心坦懐に検証することが出発点となります。これは、前にも述べたように、言うほどにやさしくはありません。自縄自縛された思考を解放するには、時にはこれまでせっかく積み上げてきたことを潔く破棄しなければならないからです。

旧大陸でビジネス・エリートと呼ばれた人たちの多くは、先行事例から自分の知っている方程式を探し出そうとします。ですが、このような行為からは新たな発見を得ることはできません。新たな解釈が見つかるだけで、グレシャムの法則ではありませんが、見えざる大陸について議論するうえでは悪貨が良貨を駆逐するようなものなのです。

マッキンゼーの議論では、いつも"What's new?"(何が目新しいのか)、"So what?"(それがどうした)というフレーズが飛び交います。この新大陸をどのように攻略しようかと考えている時に、旧大陸の成功法則や論理を振りかざそうものなら、すぐさまこのような問いが投げかけられます。答えを知らないことを恐れるのでなく、知らないところからスタートして、自分には何が見えて何が見えないか、何がわかって何がわからないかを分けて考えられるかどうかが重要なのです。

哲学者のエドムント・フッサールが主張したように、自分の知らない事象に遭遇した時には、これまで身につけた知識や価値観で判断することを停止する、いわゆる「エポケー」して、その事象と対峙してみます。そのために、トヨタでもそうですが、マッキンゼーでも“Why×5”（「なぜか」を五回唱えよ）という習慣があります。私は三〇年前に書いた『企業参謀』（プレジデント社）で、「『なぜか』を三回唱えよ」と述べましたが、トヨタは五回だといいます。INSEADのポール・エバンス教授によると、「人は変化を好まないのではなく、自分が変えられることを嫌うのだ」、ということです。

自分の思い込みや思考のクセを排除し、ファクト・ベースで考え、議論する。その結果、変わらなくてはいけないのは自分であり、自社である、という発想ができるかどうかがいま問われているのです。このような客観的な態度で、時には徹底的に討論したり、いま一度本質を問うような書生論を交わしたりするなかでこそ深い議論が実現し、おのずと構想力は鍛えられていきます。

残念ながら、予定調和を図ろうとする車座の議論からは何も生まれません。いま必要なのはコンセンサスではなく、自分に見えている世界を主張することです。そしてあらゆる個性をぶつけ合って、さらに世界中でだれも発想していないような世界観、事業観を生み出すのです。

日本にも、世界を相手に戦えるビジネス・プロフェッショナルは大勢います。しかし、「議論する力」に関しては、まだまだ発展途上にあると言わざるをえません。議論する力は構想の質を高めるだけでなく、構想を実現するうえで欠かせない能力です。先見力や構想力は個々の才覚による部分も少なくありませんが、議論する力はだれでも訓練によって後天的に学習可能です。その重要性と具体的方法論について、次章で詳述しましょう。

第4章◉

議論する力

非生産的な議論を排す

一九七〇年代、アメリカでは『ゴング・ショー』という人気テレビ番組がありました。NHKの『のど自慢』ではありませんが、視聴者が素人芸を披露するというもので、あまりにも下手だとゴングが鳴らされて退場させられるのです。ウォルト・ディズニーでは、この『ゴング・ショー』が社内で実演されていました。もともとはABC社内（アメリカの放送局。現在はディズニーの傘下に収まっています）で始まったものを、マイケル・アイズナー（二〇年以上CEOを務め、二〇〇六年に引退します）がパラマウント映画、そしてディズニーに持ち込みました。

この社内ゴング・ショーにはだれでも参加できました。参加者たちは思い思いにアイデアを持ち寄り、みんなの前で披露します。階層などはいっさい関係なく、たとえシニア・クラスのマネジャーでも、つまらなければたちまちゴングが鳴って退場です。

ディズニーには、そのほかにもユニークな仕掛けがありました。「シャレット」という会議では参加者を缶詰にして、平均一〇～一二時間、侃々諤々《かんかんがくがく》、喧々囂々《けんけんごうごう》、とやり合います。場合によっては、これが二日間続くのです。アイズナーの持論は、「時間は長くかかるほどよい。また、苦しくて辛いほどよい」というものです。そのこころは、どこの企業でもそうであるように、声が大きくて、おしゃべりな人の独壇場となったり、過去を引っ張り出して半畳を入れたり、実力者やお偉方に取り入ろうと追従したりといった、非生産的な行為を排するためです。

このように長時間「監禁」することで、精神的にも肉体的にも疲弊させると、だれもが「一刻も早く、この会議を終わらせたい」と思います。こうして参加者たちはようやく平等になり、真剣で創造的な議論が実現します。「本当に素晴らしいアイデアが出てくるのは最後の三〇分である」とアイズナーは述べています。ディズニーのオリジナリティや創造性は、こんな「アヒルの足かき」による産物なのです。

非生産的な議論を忌み嫌うという点では、IBMの前CEO、ルイス・ガースナーも負けていません。ジョン・エーカーズまでのIBMの会議は、始まる前に結論が決まっていました。日本のお家芸である用意周到な「根回し」が粛々と執り行われていたわけです。会議は和気あいあいとした雰囲気で、それゆえ問題は避けて通り、あらかじめ用意されていた結論をしゃんしゃんと追認する場でした。

ガースナーは容赦なく、これをぶち壊しました。儀式的なOHPのプレゼンテーションを、おだを上げるような自慢話を、紳士クラブ的な談笑を、上司のひそみに倣うといったご追従を、とにかく無駄で凡庸な行為は追放しました。その代わりに、ビジネスの現状をためつ、すがめつ観察して、そこに見出される問題について徹底的に議論することを要求しました。

事実ガースナーは、アメリカン・エキスプレスでもRJRナビスコでも同じことをしています。つまり、問題の前ではだれもが平等であり、だからこそ、会議の参加者は全員、その問題の核心をとことん追究する義務が課されるのです。

これは「マッキンゼー式会議術」とでもいうべきものです。私もそうですが、マッキンゼーのコンサルタントは、ほとんどが中途入社です。しかも、メーカー、小売り、金融、エネルギー、はては官公庁と、その前身はさまざまなので、だれでも、少なからず前に勤めていた組織の「クセ」がついています。

たとえば、特に銀行出身者などは、「○×さんのご意見を拝聴して」「おそれながら」といった、うやうやしい枕詞をつけてから話し始めます。この程度であればあえて非を鳴らす必要はないかもしれません。むしろ日本の企業では、和を重んじるということでほめられるべき態度なのでしょう。

しかし、マッキンゼーの会議は儀式ではありません。論と論を闘わせる知的闘技場ですから、けっして「和をもって尊し」とはなりません。実際、しかつめらしい態度から出てくる意見は刃引きがなされていて、おしなべて切れ味に欠けます。そのほか、学者や識者の意見を持ち出すといった、いわゆる糟粕をなめる人、あるいは周囲の意見を一通り聞いたうえで、分のよさそうな側につく人、不案内な分野では沈黙を決め込んでいる人などもよく見られます。

このようなクセを一掃するために、新しい同僚は、まずは徹底的に「漂白」されます。沈黙はけっして金ではなく、事実や論理に乏しい意見、予定調和を図るような発言、付和雷同な態度は軽蔑され、むしろ反論や疑問を呈することが歓迎されることを体で覚えさせられます。間違った認識や前提条件を放置しておくと、間違った結論へと導かれかねません。コンサルタントは真実だけを追求し、クライアントであろうと同僚であろうと、おかしいと思うことはおかしいと直言しなければなりません。その時、学者気取りや小利口な態度は害をなすもので、遠慮会釈もかえって邪魔です。

ロジカル・シンキング
ロジカル・ディスカッション

日本マクドナルドの創業者である藤田田氏は、かつて「ディスカッションはベストウェイを導くアプローチの一つ」と語りました。またインテルでは、共同創立者のロバート・ノイスとゴードン・ムーアが「コンストラクティブ・コンフロンテーション」（建設的な対立）という格闘的な議論を奨励しています。互いの主張が相対立する場面において、真のベストウェイは、往々にして各人のオリジナルな主張とは別のところにあるものです。それを見出すために議論を重ねるのであり、ビジネスの進化と繁栄はそうした議論の繰り返しの先にあります。

かつての通産省で新人研修の講師をした時、私は受講者たちに、現在の景気が悪いと思うかどうかを聞いてみました。すると全員が一様に「悪い」と答えました。次にその理由を尋ねてみると、「新聞に書いてあった」「周囲でそう言われている」と平然たる顔で言い放ったのです。これが将来、わが日本の国家政策を立案するエリート官僚なのだろうか、とわが耳を疑いました。だれ一人としてロジカルに考えて「景気が悪い」と思ったわけではなく、ましてやその理由について、データの裏づけや仮説の検証をしたオリジナルの意見で議論に挑もうとする者もいなかったのです。

ビジネス環境が大きく変わったいまも、藤田氏が指摘した議論の意義・重要性は褪せるどころかますます高まっています。進むべき道も成功の方程式も見えないなかでは、ロゴスの世界で議論を尽くすことが重要です。

そもそも“discuss”という言葉は、否定を意味する“dis”と、恨むという意味の“cuss”が合体した言葉です。要するに、反対したり反論したりしても「恨みっこなし」というのがディスカッションの本来の意味なのです。一方、“debate”という言葉は“de”が下、そして“bat”は打つという意味なので、原意は「打ち倒す」です。議論する力は、相手を言い負かすためでも、言いくるめるためのものでもありません。事実、欧米社会では、ディスカッションもディベートも真実を追求する手段として広く浸透しています。それはビジネスの世界に限らず、学校でも地域社会でも当たり前のことです。

日本の合意形成プロセスは、社会構造や慣習、言語体系の違いから、欧米社会のそれとはまったく異なります。日本企業は、各社特有の論理、業界の常識にとらわれたきわめて特殊な世界で、自分たちだけの勝手なロジックで答えを出そうとします。多くの人は上位者の考えを推量して、合格点をもらえる答えを出すクセが染みついていて、自分たちだけに有効なルールに基づくコミュニケーションに安穏とし、これを微塵も疑っていません。

幸いにしていままでは、コミュニケーションの違いが重要な問題となることはなく、むしろ日本の特異性が有利に働くことすらありました。しかしいまや事実上、英語がビジネス公用語となり、グローバル化とボーダーレス化はいっそう進むことはあっても、もはや後戻りすることはありません。私たちは、好むと好まざるとにかかわらず、他国の文化や慣習と触れ合わなければなりません。

遅ればせながら日本企業でも、徐々に人材の流動化が進んでいます。また、日本の親たちは自分の子どもの気持ちを理解できず、もはや世代間のギャップを日本固有の価値観に頼って埋めることは不可能です。つまり日本国内でも、あうんが通用しない多様な社会が訪れています。だから、コミュニケーションの共通言語として、あるいは規律や文法と表現してもよいでしょうが、「ロジカル・シンキング」という必要条件と「ロジカル・ディスカッション」という十分条件が求められているのです。

いくら英語に堪能であろうと、いくら異なる文化を学ぼうと、ロジカル・シンキングとロジカル・ディスカッションが確立されていなければ、議論する力を体得することはできません。アマチュアは感情や経験で議論しますが、プロフェッショナルは少なくともロジックで議論するのです。

議論する力は訓練で習得できる

古来、日本には、論理よりも語感や情緒を重んじ、場を共有する者にあうんの呼吸や暗黙の了解を求める空気があります。たとえば、唐突に「あれどうなったかな」とか「例の件だけど」と言い出して、正しい回答を要求します。身内という狭い世界で通じるなら、これはこれでいっこうにかまいませんが、これが日本人の美徳であり、常識と考える人はかなり問題です。「そんな化石のようなビジネスマンなどいませんよ」と異を唱える向きもいるでしょうが、実は案外いるものです。

常識や経験則の奴隷になっている人も、実は周囲にあうんを求めています。言い換えれば、自分が思い描く正解を、強弱の差はありますが、知らず知らずのうちに他人に強要しているのです。それが正解であることもあるでしょうが、いずれにしても、「自分は違う」

などとは思わないことです。あうんをほめるような環境下では、目上の者が下した命を粛々と遂行する「オペレーター」は輩出できても、前例や常識を破壊する「イノベーター」や、世界の一流プレーヤーと対等に議論できる「グローバル・プレーヤー」は育ちにくいでしょう。

私は三〇年以上前に上梓した『悪魔のサイクル』(明文社、新書は新潮社)に、副題として「日本人の寄りかかり的ものの見方、考え方」と添えました。日本人の多くは他人の考えや会社の方針に寄りかかり、自分で考えたり、みずから事を起こしたりしません。目端で周囲の一挙手一投足をうかがい、付和雷同の末、同調してしまう習性は、後々大きな問題になるだろうと本書で指摘しました。以降、『質問する力』(文藝春秋)に至るまで、私は自分の力で考え、質問し、答えを見つけていくことの重要性を説いてきました。しかし、その真意をロジカルに理解できた人がどれほどいたでしょうか。

日本人の議論する力が相対的に低いことは、連戦連敗の日本外交を見れば、一目瞭然です。日本の外交担当者は、問題が起きると即座にアメリカの動きを横目でうかがい、一も二もなくこれに同調、追随します。議論と交渉は似て非なるものですが、とにかくロジックに弱いことが問題です。ピョンヤン宣言を守らず、「日本を炎の海とするぞ」と恫喝する北朝鮮に、「人道支援」を約束どおり実施するロジックなど、外交上ありえないことです。これでは、みずからの社会や経済を守る気概も、そのためのロジックを考え、ロジカルに交渉する能力も乏しいと言わざるをえません。日本はアメリカとの蜜月を装っていますが、単に相手のロジックに寄りかかっているだけです。

かつて日本の経済力が世界最強といわれた時期に、アメリカは鉄鋼、半導体、テレビ、自動車など日本の主力産業において、ある時は日米間の貿易不均衡を、ある時はCOCOMを盾に、またある時は反トラスト法に照らして、激しくジャパン・バッシングを展開しました。また特許紛争に至っては、アメリカの「先発明主義」に、日本のみならず他の先進国が採用する「先願主義」はもろくも敗れ去りました。

当時からわかっていたことですが、日本政府はみずから強い産業を制し、国際競争力に乏しい産業を保護することで、その意に反して日本の国力を弱体化させてしまいました。これはロジカル・シンキングとロジカル・コミュニケーションの欠如が原因です。パワー・バランスにおいて不利なことは端《はな》から承知のはずです。これを何とかするのが政府の役割なのに、そもそも議論する力、つまりは考えうる選択肢から論理的に最善解を導き出し、そのための戦術と戦略を立案する能力に欠けていたため、アメリカへの追従と国民への一方的な言い訳という、最も安易な道に流れてしまったのです。

ビジネス界にも、国際的に通用するロジカル・シンキングとロジカル・コミュニケーションの力を備えた人材は多くはありません。グローバル経済の一角を占めながら、真に世界と対等に渡り合える企業人は、たとえば小林陽太郎氏、小笠原敏晶氏、すでに故人となった服部一郎氏や盛田昭夫氏など、数えるほどです。彼らは、そのコーポレート・ブランドが世界的に評価される前に、このような力を身につけていました。現在、国際舞台で発言できる若い人材もポツポツと現れてはいますが、日本の経済規模を考えればいかにも少ないと言わざるをえません。

政界でも産業界でも徐々に世代交代が進んでいます。しかし、欧米で教育を受けた若い世代が最前線で実経験を積めば、ロゴスの世界で議論できる人材はおのずと増えると考えるのは早計です。なぜなら、日本の将来を担うべき世代の学力、すなわち議論するに必要な「基礎体力」が年々低下しているからです。数学オリンピックのランキングを見ても、かつてトップの座にあった日本は、六年前の時点ですでに一三位に落ちています。中国とロシアが一位で、以下新興国の名がずらりと並びます。日本の政治家がかつてその教育環境のお粗末さを嘲笑したアメリカでさえ一〇位で、日本はさらにその下位という状況です。

ＴＯＥＦＬの国別平均スコアを見ても、アジア主要国のなかで日本は一〇位です。不甲斐ないというより、これはゆゆしき問題でしょう。霞が関はゆとり教育の失敗を一部認めたとはいえ、基礎学力が落ちては国際競争力の回復など望むべくもありません。

アメリカのビジネススクールなどでは、日本人の生徒が入ると、クラス全体のレベルが落ちます。私自身も教壇に立って実感したのですが、日本人の知力の平均値は明らかに低いようです。これは知識が欠けているからではありません。彼らの決定的弱点は質問力、発言力です。成績のかなりの部分がクラス討議で評価される現状では、これは如何ともしがたい問題です。かつて盛田昭夫氏が『メイド・イン・ジャパン』（朝日新聞社）のなかで指摘したとおり、自分の意見や主張を公の席で提示したり、ほかの人が発した意見を瞬時に理解したり、それについて議論を展開することが、日本人は非常に不得手です。ビジネススクールのクラスのレベルが下がるのも、日本人の生徒の数だけ議論への真の参加者が少なくなるからです。

日本では、国際舞台で展開されている議論そのものに触れる機会も多くはありません。国際会議の開催件数を見ても、東京のそれは、同規模の欧米各都市はもとよりシンガポールにもはるかに及ばず、シドニーのような不便な都市よりも少ないのです。残念ながら、内にも外にも、議論する力を育てる環境が整っていないという状況です。

とはいえ、議論する力に関しては、先見力や構想力のような先天的資質をうんぬんする必要はありません。議論に必要な素養と見識を身につけ、適切な環境で能力を磨くことで後天的に習得可能な能力であり、どのタイミングでトレーニングを始めてもその有用性は必ず実感できるはずです。

先述のアメリカのビジネススクールの例でも、ストレスフルかもしれない議論に二年も参加すれば、日本人学生のロジカル・シンキングとロジカル・コミュニケーションは鍛えられ、二年経って大学院の修了間際になると、クラス討議に参加できるようになります。つまり、諸外国の学生より日本人学生が能力的に劣っているというわけではなく――それでも全体としては世界の下位レベルですが――それほど日本社会では議論する力が育ちにくいということなのです。環境を整え、チャンスを与えれば、日本社会にも百戦錬磨のビジネスマンと伍して議論できる人材がもっと現れてくるはずです。

マッキンゼーには、昔からそのような環境が整っていました。国籍もキャリアも、年齢や性別もバラバラな人間が集まる環境にあって、唯一の共通言語はロジックです。いくら大規模なプロジェクトに携わっていても、ロジックに乏しいコンサルタントはだれからも尊敬されず、早晩去ることになります。私はもともとエンジニアですから、マッキンゼーに入った当初は、議論する力を顕在化した力として習得していたわけではありません。それを引き出し、鍛えてくれたのは、やはり環境であり、緊張感の高いOJTでした。何しろクライアントは企業トップです。彼らの機会コストはべらぼうに高いわけですから、議論する以上、彼らの機会コスト以上の価値を提供できなければ、コンサルタントは存在理由を失ってしまいます。

このようなプレッシャーが学習を促し、ロジカル・シンキングとロジカル・コミュニケーションの力を鍛え、そして議論の生産性を向上させます。はたして日本企業には、このような良循環が形成される環境が用意されているのでしょうか。

世界共通のプラットフォーム「ロジック」で語る

日本人の多くが「未経験の問題に直面した時、これを解決する」ことが苦手です。初めてのことなのだからしょうがないと開き直るようでは、ビジネス・プロフェッショナルの域に遠く及びません。未経験の課題を避け、知っていることや経験したことを繰り返すほうが、リスクも小さく安易です。その代わり、得るものも小さく、イノベーションなど望むべくもありません。だからといって、何事にも特攻精神で向かっていくのも賢明とはいえません。また、かつての成功体験をひも解いて、その時のプロセスを踏襲しても、多少はリスクも減るでしょうが、おそらくうまくいかないでしょう。

では、正攻法とはどのようなものでしょうか。やはり論理的に考え、行動することなのです。未経験の課題を攻略するにしても、初体験の仕事に取り組むにしても、やはりロジカル・シンキングが必要です。地図も標識もないオリエンテーリングでは、ロジカル・シンキングがコンパスとなるのです。

ロジカル・シンキングの基本は、まず仮説を立て、事実に照らしながら検証することです。ところが多くの人は、仮説を目標や結論と勘違いしています。「そんなばかな」と反論する人もいるかもしれませんが、たいていの組織が最初に立てられた仮説を検証せず、それゆえ修正されることもありません。「走りながら考える」と言いながら、実は考えずに走っているわけです。

仮説と目標を伝え間違えたという初歩的なミスもあるでしょうが、それには次のような理由が考えられます。

・疑わない
・検証するという行動様式が身についていない
・途中で修正することを潔しとしない
・関係者間の調整を嫌う
・予定調和を優先する

これらの根底に共通しているのは、議論する力が組織にも個人にも欠けているということです。仮説を議論しなければ、その仮説は検証されることも、修正されることもなく、時間の経過にしたがって、知らず知らずのうちに目標や結論に姿を変えてしまいます。

繰り返しますが、本物の議論に摩擦は避けられません。それなのに、だれもがこれを避けようとします。そして、その理由を、論と論が擦れ合い、混ざることで不協和音が生じるからだといいます。ところが、これも勘違いなのです。

第一に、議論は交渉ではありません。交渉は利害を調整するコミュニケーションですが、議論は最善解を探すコミュニケーションです。会議の席で聞こえてくる不協和音の多くは、利害と利害が擦れ合って生じたものです。プロジェクト・チームや、クロス・ファンクショナル・チームがまず失敗するのは、論の対立ではなく、部門間の利害の対立にその原因があります。利害をいくらロジカルに説明したところで、チームが一つの方向にまとまるはずはありません。利害は議題になりえないのです。

第二に、ルールや規律がないことです。だからこそ利害が頭をもたげてくるのでしょうが、ルールや規律がないと、いきおい急所攻撃を仕掛けてくる輩も出てくれば、日和見を決め込む人、ただただ持論を発散させる人などを許してしまい、会議は踊るだけです。

そして第三に、共通言語がないことです。共通言語とはコンピュータのOSであり、言語のプロトコルであり、システムのプラットフォームです。議論における共通言語とは、言うまでもなく論理です。論理と非論理が擦れ合えば、同じく不協和音が奏でられます。しかし、論理と論理が擦れ合えば、最初は三和音といった基本的なものかもしれませんが、やがては転回したり、付加したり、省略したりと応用形に変わり、ついには楽曲へと発展していくはずです。

言語学者のノーム・チョムスキーは「普遍文法」と「生成文法」の存在を主張しました。普遍文法とは、言語を習得するうえで、すべての人間があらかじめ生得している処理能力のことであり、一方の生成文法は、この普遍文法の上に新たな言語体系を構築する能力です。残念ながら、ロジカル・シンキングという能力は生来から身についているものではありません。とはいえ、普遍文法と生成文法の関係が教えているように、ロジックという普遍のプラットフォームの上に、理論や常識、あるいは個人が生成した経験といったアプリケーションを乗せていくことが、議論する力の源泉となるはずです。

現実に、ロジックというビジネスの普遍文法の必要性はますます高まっています。グローバル化はもちろんのこと、日本においても遅ればせながら人材の流動化やM&Aが一般化しつつありますが、文化の異なる者同士が席を並べると、十中八九、いざこざが起こります。中途採用者は、その人材が優秀であろうと平凡であろうと、新天地で苦労することでしょう。M&Aやジョイント・ベンチャーの場合、名経営者といわれる企業トップがポストM&Aマネジメントの難しさを語っているように、成立する前よりも成立した後のほうがややこしいのです。

その理由として、一般に文化の違いが挙げられますが、これは正しくもあり、正しくもないのです。異質の存在に警戒したり、しばらく様子をうかがったりするのは、いわば人間の性です。したがって、一定期間、よそよそしい関係が続くのはいたしかたないことです。一般に、転校生がクラスに溶け込めるようになるのは時間の問題です。しかし、ビジネスの世界ではこれがなかなか進まず、最悪の場合、決裂に至ります。事前に利害が十分調整されないために、つまるところ同床異夢だったという場合もあるでしょうが、実は共通言語を共有できないケースが多いのです。

だからこそ、寝た子を起こして利害のリターン・マッチを始めたり、敵対したりして、一つの組織に「権力の楕円構造」、つまり中心が二つ生まれてしまうのです。これを避けるには、ロジックという共通言語による議論が保証される環境づくりが不可欠です。

「質問する力」が論理的な議論を担保する

一九九四年秋、私はシンガポールのリー・クアンユー元首相に、あるテレビ局の依頼でインタビューする機会がありました。建国の父として彼の功績は高く評価され、私も尊敬していますが、当時、その言動には多くの人々が独裁者のにおいを感じていました。その点について彼自身がどう考えているのか、それを当人に問うてみたのです。

私は一九七〇年代に、シンガポールの経済開発庁のコンサルタントとして仕事をしていたので彼とは知らぬ仲ではありません。しかし、テレビではそういうことを表に出さず、あくまで一国の元首相との一問一答という状況です。リーが考える方向性と、民衆の望むところにズレが生じているならば、それを引き出すのがこの場合の私の使命です。これには聞き手である私の技量が試されます。面と向かって「あなたは独裁者といわれているが、本当のところはどうなのか」と聞いたところで、怒らせるだけでしょう。では、このような難しい質問をどのように投げかければよいのでしょうか。

私はフランシス・フクヤマの言を引き、代理議論を仕掛けました。「国政は後継者にほぼ委譲したかたちですが、フクヤマはあなたのことを、いまだ実質的な首長であり、『善意の独裁者』(benevolent dictator)であると評しています。この意見についてどう思いますか」

リーは実に巧妙に応酬しました。「フクヤマのようなアメリカ人は」と代理議論の流れに即して、独裁者であるという点にはいっさい触れず、「アメリカのような豊かな国に住む人間にとっては、水も食糧もないシンガポールが突然マレーシアから独立して、国民を食べさせていかなくてはならない立場に立たされた首相の切羽詰まった状況は想像もできないでしょう」と、フクヤマの傍観者としての「ノー天気さ」をうまく使いながら、「自分のしてきたことは独裁ではなく、国民に対する責任を果たすことにほかならない」と論理的に談じたのです。

委譲の件については、「街に出て、あなたのことを聞いてみた」と伝え、「みんな一様に、尊敬している、あなたについていく、と言うのですが、国政はそろそろ譲らなければ後がたいへんになるのではないですか」と暗に問いかけてみました。実際、彼と面談している部屋は首相の時と同じで、ゴー・チョクトン首相は新しく自分の部屋を見つけなければならなかったほどです。

ここでも彼は、中国のことわざを引き合いに出しながら、「国政はいつでも委譲できますが、国民の心まではたして譲れるものでしょうか。これは後継者がみずからの力でつかむべきものであり、民意を反映した社会を築ける人物であることをみずから証明しなければなりません」と答えました。さらに、「新しい主が本当に飯を食わせてくれるとわかった時、イヌは新しい飼い主になつく」とまで言い切ったのです。「国民が自分になついているのは飯を食わせてきたからです。ゴー首相も国民の尊敬を得たいのなら、しっかり飯を食わせていってもらいたいものです」

リーは、「権限を委譲しろ」という議論には直接応じず、しかもイヌと飼い主の関係という中国のたとえを導入して、後継者の力量不足説にまで波及しかねない枠組みを持ち出しています。彼は、自分に対する世間の批判を自身の業績尺度にすり替えたのです。この図々しさ、しかし論理的な巧妙さが国民に安堵感を与え、彼をしてアジアのリーダーに押し上げた原因といえるでしょう。

議論に臨む際、自分の考えを隠したり、歪曲して伝えたりすることはかえってマイナスです。相手がだれであろうとひるんではなりません。聞くべきことを聞かずに、目的を果たすことはできません。しかし、同じことでも聞き方によって、相手の性格、心情などを考慮して、「進入角度」や「直接・間接」など質問に「性格」を与えることができるのです。その際、目的をそのまま質問に変えてはなりません。質問は、導き出したい結果を念頭に置き、結果が出てくるような入り口を見つけることが肝心です。

いかにロゴスに長けていても、自分への反論には理性を失ってしまう人がいます。そこで、質問する力の一つとしてウィットを挙げておきましょう。深慮とウィットを利かせた問いかけには場の緊張を解く力があるものです。リーへのインタビューでは、私は自分の考えを曲げることなく、ちょっとした工夫で、相手がこちらの土俵に乗ってくるような質問を仕掛けました。もちろん、しかるべき根拠を示し、論理的に質しました。

その結果、思わぬ成果を得ることができました。リーは、国民が自分についてくる限り、あくまで自分が責任を持ってやらねばならぬ、と考えていることがはっきりしたのです。首相という肩書きに関係なく、これが彼の信じる国民に対する責任です。したがって、彼に引退という言葉はないのです。

彼はまた、「シンガポールは中国が目覚めたらひとたまりもありません。しかし、私は中国に投資をして、そのリターンで三〇〇万人くらいは食わせていけます。だから、国民年金の理事長をやっているのです」とも言いました。何のことはない。年金の運用のほうが首相としての仕事よりも「国民を食わせていく」うえではより大切で、だからこそ自分がその任に当たっているのだというわけです。つまり彼は、立派に現役なのです。

いずれにしても、リー・クアンユーという男の人間性、思想の深淵がうかがえる多くの発言を、ウィットを利かせた質問によって得ることができました。このようにロジカルに問いかけることで、おのずと相手もロジカルに返さなければならなくなります。相手がお茶を濁したり、感情に訴えたりしてきた場合でも、ロジカルな姿勢を崩してはなりません。そこで折れてしまっては、議論は成立しなくなってしまいます。

質問という行為は、相手から有用な情報を引き出す手段であると同時に、己の主張を切り出すための出発点です。質問が議論の火ぶたを切り、時には反論へ、あるいは同意へと発展していきます。質問の間口を広げるのは豊かな発想力です。たとえば、自分がソニーの社長だったらどうするか、日本の首相だったらどうするかなど、自分を人の立場に置き換えて考える訓練を常日頃から重ねていくと、どのような立場に立たされても、柔軟な発想で素直に聞くことができるのです。ただし、賛成であろうと反対であろうと、相手の意見に耳を傾け、持論を論理的に説明する責任が伴うことを忘れてはなりません。

「聞く力」「説く力」が思考力を高める

特定の問題について意見を交わすという行為は、だれもが日々経験していることでしょう。その成果はさておき、多くの人は議論することはさほど難しいことではないと考えているようですが、最終的に正しい結論が導かれているかとなると、心もとないようです。

そのプロセスにおいて相互の主張、反論を伝え合うには、前述した質問する力に加えて、必然的に「聞く力」「説く力」が必要です。ゼネラル・エレクトリック（ＧＥ）の元ＣＥＯ、ジャック・ウェルチはそのキャリアを通じて、飽きることを知らない生徒であり、また情熱あふれる教師であり続けました。たいていのことは、彼はだれよりも多く知っていました。それは知の領域を広げつつ人々の話によく耳を傾け、虚心坦懐に問いかけたからで、これは彼の優れた資質の一つです。

ウェルチは、真実を知るには「質問攻めにすることだ。座り込んで一万八〇〇〇もの質問をし、それでも腰を上げずに粘ったものだ」と述懐しています。また、「自分には大して創造性はないが、それを見抜く能力が強みである」と自己分析しています。だからこそ、真剣に耳を傾け質問を発するのです。そして、みずから厳格さを示すことで、相手にも厳格さを求めました。末端の社員たちと向き合う時も、このような姿勢をけっして崩さず、「どんなことについても、社員が納得できる説明を用意する必要がある」と語っているように、体よくかわしたり、逃げたりしませんでした。

もちろん、説く力は話術ではありません。発言の根拠となる事実を効果的に提示できるか否かが問われます。結論としての主張が相手のそれとは一八〇度逆であっても、確かな根拠とその組み合わせから新しい視点を提供できれば、受容性（相手の主張に耳を傾けてみようという気持ちのゆとり）を引き出すことができるはずです。ただし、自分の主張や相手の反論を論破する技術にばかり注目が集まりやすいことには注意しなければなりません。説く力だけが突出して強いと、立場や考えが異なる主張をハリケーンのようになぎ倒し、場の共感を得にくくなります。また、説明することに傾注するあまり、相手の心理や論理を読み誤り、墓穴を掘るような事態にも陥りかねません。

ウェルチは、相手のアイデアや意見の優れた部分を知ろうと、愚直に努めました。その一方で、自分の主張は一貫性を損なうことなく、論理的に伝えました。GEの会長時代は、来日するつど、必ず「ケン、最近君の関心事は何かね」と聞かれました。ある年、「中国だ」と答えると、そこから「なぜか」となり、GEにとって役に立ちそうなことがあると、その場で同行している数人に、この新しい中国情報をどうやって生かせるか、次の会議の主題にしようなどと次々に指示が飛びます。一回の食事でも、けっして時間を無駄にしません。来日して、この人とこのテーマで語れる瞬間は一年に一回しかないという緊張感がみなぎっていました。

彼は質問から展開、そして解決へという瞬間芸を染色体にまで染み込ませた数少ない経営者でした。GEのような巨大企業が二〇年間も増収増益を続けるのは、そう簡単ではありません。ですが、このような思考癖を持った彼を見ていると、それも不思議ではないと思えました。

詭弁と論理の違いを知る

論理と詭弁を履き違えてはなりません。これは似て非なるものです。議論が白熱すると、さも自分が正しいかのごとき態度で熱弁を振るう争論家は、そのように場の雰囲気を演出し、自分の利得を図る詭弁家であることが多いようです。詭弁も論理的であるがゆえに、つい油断すると、たちまち屈服させられてしまいます。だからこそ、聞く、問う、説くという一連のコミュニケーションに、けっして大げさでなく、ウェルチのように全身全霊を傾けることが必要なのです。

欧米ではよく「ソフィスティケートされている」という表現を使いますが、"sophist《ソフィスト》"という言葉は詭弁家を指し、本来はあまりよい意味ではありません。議論好きの多い中国でも、百家争鳴の時代は単に弁が立つだけの人が周囲を巧みに言いくるめて国の舵取りを誤ったり、諸侯を破滅に追いやったりすることが多々ありました。また、古代ギリシャでも、このような詭弁家が一世を風靡した時期があり、ソフィストも実はその頃活躍したことが知られています。

しかしその後、ソクラテスが登場し、それを継承したプラトンやアリストテレスがソフィスト的詭弁を駆逐しました。アリストテレスは『詭弁論駁論』の冒頭で、詭弁について次のように記しています。「詭弁的な論駁、すなわち論駁であるように見えるが実際には誤謬推論〔論過〕であるにすぎない言論〔議論〕――」。言い換えれば、いかに爽やかで耳当たりのよい弁舌であろうと、詭弁は、その根拠となる事実と結論・主張を結びつける論理の展開に誤謬と不公正をはらんでいる、ということです。ひるがえって、悪意や欲得に基づいた意図的なものでなかったとしても、それを見落としたまま議論を重ねても正しい結論には到達できません。

詭弁の多くは先入観を巧みに使っています。たとえば、本来わが社ではそのようなことがうまくいったためしはない、日本人にはそうした発想は馴染まない、中国が領海侵犯するのを許せばどこまで図に乗るかわかったものではない、家族は一緒に住むのが本来の姿だ、などです。このような前提から展開される議論には注意が必要です。一般論としては異論のないことですが、こうした前提から導き出そうとする結論は、証拠や論理ではなく、感情や情緒に基づいています。

そこで、ぜひ励行してもらいたいのが、ある人の述べる文脈、前置きなどから、その後に続く議論の矛盾を感じ取る訓練です。また、議論に参加する人々の多様性を認識したうえで、さまざまな視点や角度からの意見を聞くことも重要です。その際、「だれが」言ったかに引きずられてはなりません。「何を」言ったかに注目するクセをつけることが重要です。人の意見を聞くことは重要ですし、意見としては尊重すべきでしょうが、そこから出てくる結論は、当然、証拠や論理がしっかりしていなくてはなりません。

人々の意見が見事に一致する時こそ、議論を振り出しに戻して証拠と論旨を見直すクセをつけなければなりません。こういう時こそ、「現代のソフィスト」に毒されている可能性が高いからです。学術的権威、有名な経営者、社内のオーソリティなど、「何々氏が言うには」といった枕詞がついた意見には、たいてい何らかのバイアスが潜んでいます。これを鵜呑みにしてしまうと、自分の頭で考えず、議論する力は育ちません。

もちろん、何でもかんでも反論すればよいというものではありません。このようにとかく他人の言い分を疑う人は、自分については疑うことをしません。だから詭弁につい走ってしまうのです。傾聴すべきは「何を」言ったかです。「何を」という一点に意識を集中すれば、議論すべき事柄の輪郭が明らかになり、やがて本質が見えてきます。

「ツルの一声」まで議論を尽くす

日本には「ツルの一声」という言葉があります。議論が煮詰まったり、見解を異にする者が双方譲歩できない状況に陥ったりした際、閉塞状況を解決する一策として意思決定者が下す決断ですが、その中身は概して、両者痛み分けとなるような妥協です。一般的な企業組織にあって、これに逆らえる人はまずいないでしょう。最終責任を負う意思決定者の意見に抗うよりも、彼らが決めたことに従ったほうが、自分が責めを負うこともなければ、要らぬあつれきも生じません。

もちろん、ツルの一声が必要な場合もあります。しかし、それはあくまで最後の手段であり、少々議論が紛糾したくらいで、水戸黄門の印籠よろしく、「待ってました！」と切り出すのでは議論など必要ないではありませんか。しょせん、ツルの一声は強権の発動にほかなりません。

ビジネスの現場では、基本的に職位より真実が優先されるべきです。そのために議論をするのです。誤解を恐れずに言えば、火に油を注ぐくらい徹底的に議論させるべきで、その時、あなたは聞いて、聞いて、聞きまくり、質問しまくるのです。もしかすると議論に飽きてしまい、ツルの一声を待っている人もいるかもしれません。だからこそ、軽々に使ってはなりません。議論の参加者に論を尽くす覚悟が欠けていると、やはり会議は儀式に終わります。

経営には、もちろん判断が必要です。将来のことですから、すべて論理的に、証拠を挙げてといってても無理でしょう。また、経営体は生き物ですから早く結論を出して、全速力で成果を取りにいくほうが得策という場合もあります。松井証券の松井道夫社長はインターネット証券に特化する決断を、その事例として挙げています。

昔からの営業も捨てがたい、インターネットだけにすることもないだろうという異論に対して、論理的に説得することは難しい。しかし、両方やって「アブハチ取らず」となるリスクも高い。特に大手証券会社に対する差別化は、両方やっていたのではできない。背水の陣で新しいものに賭けるしかない――。こうした決断は、議論を尽くした後には、ツルの一声しかありません。

「地獄に行くか、天国に行くか」を決断したら、反対する者を排除します。もし、その決断が誤っていたら謝るしかありません。その時は、反対していた人が社長をやるべきだ、とまで松井社長は言います。こうした局面があることを認識したうえで、ツルの一声までの議論を尽くすことの重要性をここでは指摘しておきます。

繰り返しますが、議論は真剣勝負であるべきです。発言の根拠やその論理を検証する作業を放棄してしまうと、議論すべき課題の設定を誤りかねず、進むべき道から逸れてしまいます。たとえば、道路公団の民営化にしても、郵政事業の解体にしても、「何の目的でそれが必要なのか」という疑問を抱く人は皆無です。マスコミも、どのように民営化するのか、だれがどんな発言を述べたのかなど、本質から外れたことばかり書き立てます。だから国民の関心も、「そもそも、なぜ民営化が必要なのか」という部分がすっぽりと抜け落ち、問題の本質とはかけ離れた〝ミッチー・サッチー論争〟に向かってしまうのです。

野暮は承知で、あえて前提を問うことが肝心なのです。前提を問い、時には疑い、根拠の脆弱さや論理の綻びを見つけたならば、ためらわずに問い質します。揚げ足を取るようなケースも出てくるでしょうが、重要な情報を引き出すためにも、相手の真意を汲み取るためにも、わかったふりをしてはなりません。

民営化議論については、私はいろいろなところで主張していますが、そもそも民営化すること自体が間違っていると考えています。その論拠はここでは述べませんが、道路のようなものを民営化することにも、また、道路公団のような体質を持った組織体を延命させることにもメリットは少ないのです。高速道路は国道0《ゼロ》号線として無料化し、「プレート課税」で三〇兆円の累損と借金を一〇年かけて現役世代が払ってしまえばいいのです。次の世代に借金を先延ばししても解決できるわけがありません。郵便事業もまったく同じです。郵便貯金と簡易保険は廃止し、郵便は公営のまま続ければいいのです。国家の一大判断が十分な議論のないまま、「聖域なき構造改革」というスローガンに合致する、という主張でまかり通ってしまう現実が、いまの日本の政治の不毛を表しています。

論理的な反論が相手の合意を引き出す

『フォーチュン』誌二〇〇〇年五月号の表紙を飾ったのは、ジャック・ウェルチとサン・マイクロシステムズのCEO、スコット・マクニーリという、奇妙な組み合わせでした。実は、マクニーリがウェルチと懇意になろうと誘ったのが発端なのですが、その計画は見事に成功しました。四カ月後、彼はGEの社外取締役に迎えられ、サンはウェルチとGEから多くを学びました。

ところが、ウェルチに言わせれば、「マクニーリは権威などものともしない言動をGEに持ち込んだ」、つまり、より多くを学んだのはサンではなくGEだったというのです。GEは自分たちがざっくばらんで格式張らない組織であることが自慢でしたが、マクニーリの発言と言動はもっと型破りでした。その発言の内容は、およそGEでは考えも及ばないほど大胆なものばかりで、大きな衝撃を与えました。そして、彼の反証と代替案は、知らず知らずのうちに小さくまとまっていたGE社内の議論を活性化させるという絶大な効果をもたらしたのです。

異論を呈する者には、「証明する責任」、すなわち、相手の主張に対して論理的反証と有効な代替案を提示する義務が生じます。賛成意見が占めるなかで、結論の正誤を決するのは危険です。マクニーリというアンチテーゼは、また議論の健全性を保証する存在となったのです。

ここでマクニーリ論を展開するつもりはありませんが、せっかくの機会なので若干補足しておきましょう。よく知られるようにマクニーリのビル・ゲイツ嫌いは伝説的です。「塀のない世界に門《ゲイツ》はいらない」「壁のない家では窓《ウィンドウズ》がなくてもよく見える」と書いたTシャツを配るくらい、マクニーリのゲイツ嫌いには年季が入っています。私も彼と何時間も話し合ったことがありますが、嫌う理由を一言で言えば、〈Ｊａｖａ〉を中心としたオープン・システムの妨害をするマイクロソフトはコンピュータの世界では邪道なのです。

彼の主張はすべて正しいのですが、現実は世界の九〇パーセント以上がマイクロソフトのＯＳで動いています。つまり嫌悪するものでも、経営としてはマイクロソフトを認めざるをえません。英語が世界の共通語になったのはけしからんと、いまさらエスペラント語の普及に努めるようなものです。経営者として、彼はそこを見誤りました。彼の本業はサーバーなのですから、どのシステムでも動く最高の性能のサーバーを売りまくればよいのです。ゲイツ批判は余暇にすべきでした。

だからこそ、同社はサーバー分野でヒューレット・パッカードとＩＢＭに性能的に追い抜かれ、苦戦しているのです。退陣要求さえ出ています。つまり、彼の正論はＧＥでは大いに破壊力を発揮したのですが、自分の会社ではむしろ現実から目をそらせる結果になってしまった、というのが私のマクニーリに対する見方です。

反論は、相手を打ちのめすためではなく、相互理解を深めるためにするものです。これには主に二種類あります。相手の主張を支えている根拠を切り崩す「論証型」の反論と、相手の主張とは正反対の主張をする「主張型」の反論です。

論証型反論

論証型反論は、相手の主張の根拠となるデータや事実の誤りや不足を指摘するものですが、そこで反論の手を止めてはなりません。主張と根拠の間に正当な論理的関連性が存在しないところまで含めて論理的に反証しなければ、相手の主張を切り崩したことにはならないからです。

持説を支えるフレームワークと相手の持説のそれを冷静に分析できれば、これはさほど難しい作業ではありません。ただし、自分も十分なデータを用意しておくことが前提です。また相手の話に耳を傾けつつ、根拠の不足と誤りを反射的に感知できなければ、反論の機会を逃してしまいます。効果的に反証し、相手の言い分を潰すだけでは合意という果実を得ることはできません。論証型反論の場合、繰り出す反証は、こちらの許容範囲にある着地点を暗に示すための、いわば前哨戦です。こうして緩んだ足場から相手が軟着陸できる場所を示し、そこに議論を導くのです。

一方的な反論は相手の態度を硬化させ、議論そのものがご破算になる可能性が高くなります。論を尽くさずに決裂しては意味がありません。狙った着地点を相手に納得させるには、相手の主張も受け入れながら、こちらからも譲歩のための条件を見せなければなりません。互いの持論を交換するだけでなく、擦り合わせていくことも必要なのです。

また、反証から合意までのプロセスをスムーズに展開するには、相手のロジックを逆手に取ったり、またこれに部分的に同調したりしながら着地点を誘導するのも、一般的なテクニックの一つです。ところが私が見る限り、日本はＦＴＡ（自由貿易協定）交渉でも、相手が納得しかねるような着地点でその動きを待つだけです。鉱工業分野の関税は撤廃してほしいが、農業、畜産、労働市場の開放はしたくないというのでは、相手から「交渉は打ち切り」と釘を刺されて身動きが取れなくなって、最終的にはまんまと誘導に乗せられてしまいます。相対交渉の論理と心理を知らずして、今後、ＡＳＥＡＮ、日中韓経済連携協定といった多国間交渉で価値ある成果を引き出せるわけがありません。

ＦＴＡの交渉は政府間で行われていますが、日本政府を見ていると、日本国民を代表しているのではなく、日本の一部生産者の利益を代表していると言わざるをえません。メキシコから安くてうまいブタ肉が大量に入ってくることに、反対する生活者がいるとは思えません。フィリピンから安くて親切な介護士が大量に入ってくれば、みな喜ぶはずです。しかし、日本政府はこうしたことで被害を受ける側の代理人を演じています。

そもそもその点にマスコミはメスを入れなければならないのに、国民もマスコミも傍観者のまま、場合によっては被害者の立場に立って、「負けるな！」というメンタリティになってしまうのです。これは、感情や情緒が交渉事を誤らせる代表例といえるでしょう。

主張型反論

主張型反論は、意図的に相手とまったく反対の主張をする手法です。相手が論理の綻びや根拠の不備を見落としていないかどうかを検証するために、あえて正反対の主張を投げかけるのです。真っ向から対立する意見を議論の参加者の目の前に提示することで、緊張感を醸成し、よりよい答えを導き出す環境に一変させます。

この反論は、議論を尽くすための糸口の提供が主眼であり、落としどころはさほど重要ではありません。また、必ずしも自分の考えに沿った反論でなくてもかまいません。相手と正反対の主張であることがカギであり、したがって、あいまいな主張は意味をなさないことを覚えてください。議論に不慣れな人は、いきおい敵意を感じてしまうせいか、主張型反論を受けて一瞬にして理性を失ってしまいます。新たな視点の提供を喜ぶくらいの余裕を持って、建設的な対立の価値を理解してもらいたいものです。

かつて松下幸之助氏は「いい加減な妥協をしない」ことの重要性を説きました。得心がいかない時は仕事を進めず、時機を得て、完璧を期すのだというのです。松下翁は戦後、何としてもアメリカ企業から技術を導入しようとしましたが、相手の要求条件にただ一点納得できないことがあり、契約を断念したことがありました。しかし、その経験をその後の独自開発につなげて、世界の松下をつくり上げました。守るべき時は引くことも辞さず、進むべき時は努力を惜しまず、攻めるべき時はいっきに攻める。いみじくも松下翁が述べた「経営の機微」とは、このようなことを指すのでしょう。まさしくこれは、議論する力に通じるものです。

世阿弥が遺した「守《シュ》・破《ハ》・離《リ》」の知のプロセスからも多くを学ぶことができます。これは、まず攻めの矢からみずからを「守」り、次に相手の論理が手薄なところを「破」って、矢の向かうべき方向の誤りを指摘し、共に当初の議論から「離」れて最善の着地点へと移行する、というものです。かつてのジャパン・バッシングのように、議論のスタートラインから猛然と攻め込まれた場合、まずは断固として相手の主張を退けることが肝要です。ここで少しでも相手の言い分を認めると、相手に追攻のきっかけを与えてしまい、以後の反撃が難しくなります。

日本の市場が閉鎖的であるという指摘については、毅然として否定した後、相手の示した事実を突きます。当時、アメリカ当局が閉鎖性の根拠として挙げたのは対日貿易収支でした。赤字が肥大しているのは日本がアメリカ製品を締め出しているからであり、日本はもっとアメリカ製品を買うべきだという論調です。しかし、現実には、すでに多くのアメリカ企業が日本に製造拠点を構え、販売も展開していました。日本人がアメリカ製品を購入しないという論拠は誤りだったにもかかわらず、貿易収支の静的な数字はそのような現実を語りません。むしろ、事実を突きつけ、論拠の誤りを論理的かつ具体的に示していれば、先制攻撃の勢いを殺ぐことは十分できたはずです。これが「守」です。当時の日本政府にその力はありませんでした。

私は当時、衛星放送等の日米交渉の場によく呼び出され、こうしたことを多く経験しました。アメリカは証拠があれば受け入れる場合が多かったのですが、当時の日本政府はほとんど言い訳以外に何も持ち合わせていませんでした。自分の仕事ではありませんでしたが、私はまとまった時間をつくり、じっくり分析して「日米に貿易不均衡はない」ということを立証しました。つまり、日本で生産しているアメリカ企業の製品を加えれば、日本のほうがアメリカ製品をより多く買っているという事実を突きつけ、これはアメリカ企業がアメリカで生産しないというアメリカの国内問題なのだ、と論証したのです。これには多くの賛成意見が寄せられ、当時のマンスフィールド大使に至っては、アメリカ国内でこの「大前説」を説いて回ってくれたほどです。

バッシングの立脚点を崩すことに成功したら、当初の議論から離れて、双方が利する別の着地点を模索します。通商交渉のケースでいえば、「自由競争と資本主義の理念に照らせば」というアメリカが最も好む論理に乗せて、個別分野の収支均衡が重要なのではないと認識させるべきでした。これが「破」です。各々の比較優位を伸ばすように自助努力すべきであると説けば、アメリカの世論も動いたはずです。

最後の「離」では、譲るのでも元に戻るのでもなく、新たな発想を提示します。優れた発想が議論を聞く第三者を動かし、自分が狙う着地点へと相手を引き出すのです。買収交渉などでは、テーブルを挟んで対峙する相手の意思と考えを動かすことが要求されます。

公開討論会などでは議論の当事者とは合意に至らなくとも、視聴者の大多数が相手より自分の主張に傾けば、十分に目的は達成されたことになります。どのような場であれ、共通するのは、自分が何を変えたいのか、そのためにはだれの意思を動かせばよいのかを明確に理解することです。

議論の基礎はアリストテレスの論理学

私は「議論する」ことの本質、その真の起源は、やはりギリシャ哲学にあると考えています。約二五〇〇年前、ギリシャの都市国家アゴラに多くの人が集まり、熱い議論を闘わせました。彼らの議論にこそ、論理学や哲学、弁証法の起源があり、ルネッサンス以降、近代科学が誕生する礎となりました。

アリストテレスは近代科学に通じる正しい議論や思考形式とその法則を「論理学」として体系化した偉才です。ロジカル・シンキングも、その源流をたどれば、アリストテレスの論理学に行き着きます。

我々は、より正しい解を導くために、常にいくつかの推論形式を組み合わせてロジックを構築します。その代表的な手法が「帰納法」と「演繹法」です。

帰納法は多くの経験的事実から本質的な因果関係を推論し、一般的原理としての結論を導き出すものです。一方、演繹法はアリストテレスのもたらした論法であり、「A＝B、B＝C、ゆえにA＝Cである」という三段論法で展開し、帰納法で確立された一般的原理から新たな命題を導き出します。この作業を積み重ね、すべてをイコールでつないでいくと「A＝Z」という、思いもよらぬ結論に到達することもあるのです。

たとえば、「人間は必ず死ぬ」ということを証明するには、いまだかつて死ななかった人間は一人もいないという経験的事実から因果関係を推論して「人間だから死んだ」といえます。よって「人間（B）は死ぬ（C）」から、まずB＝Cという結論が導かれます。この帰納法による一般的原理を出発点にして、「ソクラテス（A）は人間（B）である」からA＝Bとなります。A＝Bで、B＝Cならば、A＝C、つまり「ソクラテスは死ぬ」という結論に至るわけです。

日常の業務や議論でこうしたロジックを組み立てていくと、たとえA＝Zという意外な結論であったとしても、世界中の人が納得します。この論理展開は万国共通で、どこの国でも通用するものです。世界とのコミュニケーションで実際に使える英語を教えるのが義務教育の使命とすれば、論理学も同じ理由で徹底的に教えてもらいたいものです。この二つがすべての基本となるのですから。

思考のフル回転と強固な信念が道を拓く

完全無欠な論理構造だけでは突破できない議論もあります。特にインタンジブルな構想は、強い信念と執着心で推進するしかありません。かつてウォルト・ディズニーがフロリダ州オーランドにテーマパークの建設を計画した際、社内外の支持を得られず、資金調達が難航して計画は頓挫してしまいました。予定地はワニが生息する不毛の沼地です。そこに、実験的な未来都市を建設しようというのですから、並たいていの構想力では完成図を視覚化することなどできません。

長いポインターを手に、みずからの構想について熱弁をふるうウォルトの姿が映像に残っていますが、これには鬼気迫るものがあります。その執着心は彼の死後、兄のロイ・ディズニーを動かしました。もはやウォルトの情熱はだれにも止められません。ならば計画を実現し、成功させるために力を尽くすことが最善の道と悟ったのでしょう。これにテキサスの石油王、バス兄弟が資金を援助したおかげで、ついにディズニー・ワールドという実験都市がつくられ、大成功を収めたのです。

当然のことながら、こうしたブレークスルーの術は議論を尽くした後に行使されるものですが、そこには相手を凌駕するパワーと、タイミングを計る才も求められます。論理的思考と議論の技術を駆使し、イマジネーションを働かせ、最後には強い信念とこだわりを携えて道を突破する——。このような力は経験を重ねることが最善のトレーニングとなります。

私自身、自分が先天的に議論する力を有していたとはとても思えません。ロジカル・コミュニケーションの力を培う機会は、マッキンゼーに入社してからではなく、大学時代にクラリネットを買うために始めた通訳案内業で得ました。ガイドという商売は、矢継ぎ早の質問にも正確に、かつ相手にわかるように答えなければなりません。ガイドブックに惑わされることなく、事実を収集し、どんな質問にも簡潔かつ的確に答え、場の空気を読みつつ、コミュニケーションを図ることが求められます。

当時の経験はロジカル・コミュニケーションのＯＪＴそのものでした。それに磨きをかけたのは、うまくいけばチップをはずんでくれたからです。当時のアメリカ人は気前がよく、一人二ドルのチップでも団体を一日ガイドすると五〇ドルになることも珍しくはありませんでした。初任給が一万円に届かない当時、チップだけで一日一万八〇〇〇円になるのです（当時は、一ドル＝三六〇円でした）。うまく説明し、顧客満足度が高いということがどれほどのものかを肌身で感じたものです。学生時代にこの「成果主義」の経験を六年間もしたことが、その後の私の仕事観に大きく影響しています。

また、中学時代から大学院を修了するまで日記を欠かさず書き続けたことも、思考力を深めるトレーニングになったようです。当時はカントの『純粋理性批判』など多くの哲学書を読んでいましたので、そうした読後感と批判を毎日のように日記のなかで展開しました。理屈っぽい学生時代ではありましたが、これも大いにその後に役立ちました。

疑問を持つ、自分の考えを言葉に落とす、しつこく問い続ける、自分の頭で答えを探すという、当時磨いた思考のエンジンが手法として整理・鍛練されたのは、東京工業大学大学院やＭＩＴ時代に学んだ実験計画法などの科学的アプローチのおかげです。それは、仮説を立て、必要十分な検証作業を計画し、仮説の正当性を証明する、そして、いままでの学説で証明されていない仮説を必要最低限の実験で立証していく、というものです。

実験予算の限られた環境では論理思考を駆使しなければいつまで経っても卒業できません。そういう環境に大学院時代の五年間、身を置いたことが、経営に転じてからも役立ちました。それはこうした思考技術の鍛練に、そのつど真面目に取り組んできたからなのですが、同時に、人生というものがこうした訓練の積み上げであったのだと、還暦を過ぎたいま、つくづく感じています。

第5章◉

矛盾に適応する力

ビジネスに唯一最善解はない

ビジネスを効率的に進めるうえで、問題に直面した時は、「何ができるか」と考えることが解決の第一歩となります。そして、「できる」ことを「できなく」してしまった制約や障害を取り除いていきます。その際、私たちは「AかBのいずれか一方が正しい」という仮説を立てます。たとえば、ある商品のシェアが思ったように伸びないという問題に直面すると、「商品が十分に供給できればシェアが伸びる」という仮説Aと、「値下げすればシェアが伸びる」という仮説Bを考えます。これを検証した結果、仮説Aが立証できれば、商品の供給を強化するための資源投入が意思決定されます。単純化していえば、これが問題解決のプロセスです。ところが、ここには落とし穴があります。

あらゆる事象をこのように二律背反の論理で判断すると、相反する事象の一方を完全に否定し、その可能性を閉ざしてしまいます。この例でいえば、たしかに「商品の供給が不十分だからシェアが伸びない」という結論が成立するのでしょうが、シェアが伸びないのは、価格設定や商品そのものの魅力不足、あるいは広告宣伝の効果が発揮しきれていないなど、さまざまな要素が微妙に影響し合っているせいかもしれません。

物理学者のウェルナー・ハイゼルベルグが一九二七年に発表した「不確定性原理」を使って、これを説明しましょう。不確定性原理とは、物質の微小単位の測定は粒子（位置を特定する場合）あるいは波動（速度を測定する場合）のいずれかで行われ、二つを同時に行うことはできない、というものです。その理由は、一方を測定すること自体が、他方の測定に影響を与え、その測定結果を不確定にするからです。つまり、物質の本質が粒子なのか、あるいは波動なのかについては、測定からは決定できないということです。これは、二元論的にいえば、相反する事象が同時に成り立つことを意味しています。

すべての物事は複雑な要素が絡み合い、それらが何層にも重なって構成され、矛盾や逆説に満ちあふれています。問題とは人間の指紋と同じように、環境、歴史、方針などによって唯一無二という独自性を持っているので、それらを要素還元論的に分解しても、唯一最善解に行き着くことなどできません。

仮説・検証を繰り返すのは、唯一最善解を求めるためではなく、どこに焦点を当てれば効率的に問題を解決できるかを見極めるためです。ところが科学的なアプローチであるがゆえに、仮説が立証されるとそれだけが解であると決めつけてしまいます。これでは他の可能性を切り捨て、より重要な問題を見落としかねません。ある意味、これは思考のクセで、これが落とし穴となるわけです。

どんなに難しい問題であっても、解に達する道は必ず存在します。ただし、それは一つとは限りません。複数の解を組み合わせてベストを判断することが重要です。経営における「解」というものは、ほとんどの場合、意思決定者の主観に基づいていて、これが誤った判断である場合ダメージを大きくするので、よくよくこれを肝に銘じておかなければなりません。さらに、企画、生産、マーケティング、販売など、ビジネスのあらゆる場面にはジレンマがつきまといます。一刻も早くこれを解決しようとして、「Aにすべきか、Bにすべきか」と二者択一の選択をしてしまいます。

とはいうものの、スピードが求められるビジネスの世界で完璧を期すことは現実的ではありません。また、すべての解に対処策を講じては非効率で、ある程度の見切り発車も必要でしょう。肝心なのは、唯一最善解を求めるのではなく、「仮説→検証→結論→対策の実行」のプロセスにおいて、物事の実態に即した合理的分析結果を多面的にとらえるクセを身につけて、問題に対処することです。

経営に内包する矛盾

アリストテレスの論法では「A＝B、B＝C、ゆえにA＝C」となり、A＝Cという解は未来永劫変わらない静的命題として扱われます。この静的論理に対し、動的論理を示して異論を唱えたのがヘーゲルであり、その核となるロジックが「弁証法」です。たとえば、生と死は相対立する概念ですが、生きているということは生が成熟している状態であり、それはまた死への接近といえます。つまり、生には死が内在し、そこに起こる変化によって「人間はだれしもいつか必ず死ぬ」と結論します。

ヘーゲルによれば、テーゼは相矛盾するアンチテーゼをはらんでいますが、発展の過程で矛盾はアウフヘーベン（止揚）され、矛盾をより高いレベルで調和・統一する新たなテーゼ、つまり「ジンテーゼ」を生み出します。しかし、調和して統一された概念が生まれても、そこにはやはりアンチテーゼが内在し、しばらくするとまた内部矛盾によって変化が起こり、矛盾を解消すべく新たなジンテーゼが生まれます。

ロシア革命の礎となったマルクス・レーニン主義もヘーゲルの弁証法に基づいていて、

資本主義社会に内在する矛盾を突くかたちで共産主義社会のモデルをつくり出しました。しかし、ジンテーゼとして誕生した共産主義国家は、やはり内部矛盾が肥大して計画経済では立ち行かず、また新たな社会体制へ脱皮・移行していくというわけです。これを共産主義社会の失敗あるいは限界と見ることもできますが、ロシア革命を起こした人々からすれば、むしろ自分たちが用いたロジックどおりに歴史が動いているのかもしれません。

経営にも、相矛盾するものを内包する、あるいは両者の解決を同時に追求するという側面があります。これは、ロジックだけでは見えないパラドックスです。そこでの解決の糸口を探るには、名経営者といえども、通常は働くはずの勘も判断力も鈍くなるものです。松下幸之助氏は経営が内包する矛盾というものを理解し、見事な決断をする経営者でした。それを象徴するのは、何といってもホームビデオ開発においてソニーを凌駕するために示した決断力でしょう。

当時の松下本社は、提携するオランダのフィリップスの技術を用いたV2000を開発していました。一方、グループ子会社のJVC（現ビクター）はVHS、ライバルのソニーはベータマックスを開発していて、三社間では互換性のない製品開発戦争が繰り広げられていました。この時、松下幸之助氏は、技術者七〇〇人くらいの意見に耳を傾け、V2

000を断念してVHSに社運を賭けるという意思決定をしたのです。

すでに松下は、自社製品に数百億円を投じていました。その投資をドブに捨ててまで子会社の開発製品を採用するなど、並の経営者であれば考えも及ばないことです。松下幸之助氏は、そうした経営に内包する矛盾を高次元で解釈し、自身のエゴ、自社のエゴを捨て、ソニーに勝つという信念の下、みずからの築いた家電王国を守るベストの道を選択しました。その後、VHSのデファクト・スタンダード戦略によって、松下陣営が勝利したことはご存じのとおりです。

次に、カメラ業界について考えてみましょう。フィルム式カメラがデジタルカメラに取って代わられ、そのデジタルカメラもまた携帯電話に内蔵されたカメラに凌駕されつつあることは、第2章で述べました。かつてドイツを抜いて世界一になった日本のカメラ業界はその存立基盤をなくし、いまやカメラはパソコンのIO端末になってしまいました。

デジタルカメラの平均価格は、五年前の四万五〇〇〇円から二万五〇〇〇円へと急激に低下し、まさに電卓と同じ道をたどっています。厳しい事業環境のなか、デジタルカメラ・メーカーに有効な経営戦略はありえるのでしょうか。私は、あると考えています。デジタルカメラのユーザーを理解すれば、進むべき方向が見えてくるからです。

ユーザーは、まったく異なる二つのタイプに分けられます。多くは記録として写真を撮るタイプです。彼らは携帯電話へシフトしていく可能性が高いでしょう。そこで、デジタルカメラ・メーカーがターゲットとすべきは、少数派の撮影愛好家たちです。趣味で写真撮影を楽しむ彼らは、画質や色の再現性にこだわります。たとえば、五〇機種のデジタルカメラで同じシーンを撮影して見せれば、好みは百人百様です。あるいは、より正確に自然色を再現した写真を見せれば、「モミジの色はもっと鮮やかだった」「桜の花びらの色はもっと白かった」などと言うはずです。

つまり、彼らの記憶に残っている色は自然色そのものではなく、各自のイメージでつくられた色なのです。これが消費者の感性という非常に難しい点です。自然色に忠実な色を再現するために、技術者が問題解決手法を駆使したところで、ユーザーを納得させることはできません。カメラをつくる側にとって、これは大きなパラドックスです。

ユーザーは、自然色を再現できるデジタルカメラを要望しながら、各自の頭の中では自然色とは微妙に異なる色をイメージしています。このような矛盾を逆手に取って、写真にその雰囲気を出せれば差別化ができます。その気になれば、日本のメーカーはデジタルカメラにそのような技術を組み込めるはずですが、相変わらず画素数を大きくすることに躍起となっています。その発想を捨てて「雰囲気を出せる」デジタルカメラをつくり、その強みを訴えれば、四万~五万円の価格でも十分に売れるはずです。

ただし、デジタルカメラ市場の八割を捨て、残り二割で勝負する覚悟を持たねばなりません。低価格化が進む八割の市場で消耗戦に巻き込まれることを避け、シェアは小さくとも確実に利益を出せる世界で、半分以上の顧客を獲得する戦略に転換しなければなりません。シェア拡大に絶対的な価値基準を置く日本企業にその決断ができるかどうかはわかりませんが、業界がなくなるほどの変革が起きた時は、それくらいの割り切りが必要です。

これと同じ例を三〇年以上前の時計業界に見ることができます。一九六九年、諏訪精工舎(現セイコーエプソン)は、世界で初めて水晶発振子を使ったクオーツ腕時計の製品化に成功し、時計業界に新時代の到来を宣言しました。古代エジプト以来続いてきた時計の精度争いに終止符を打ったのです。その後、水晶発振子は半導体化され、香港や台湾、韓国などで時計が大量生産され、価格破壊を引き起こしました。やがて、スウォッチに代表されるファッション性のある時計に人気が集まり、今日では装飾品(なかには宝飾品もあります)としてスイス製の高級腕時計が主流になりつつあります。時計は、まさに「雰囲気」を売る世界に入ったのです。

私の友人であるジャック・ホイヤー（タグ・ホイヤー名誉会長）は、これを「MASS（量産）からCLASS（気品）へ」と表現しています。量では世界の〇・三パーセントにすぎない狭い市場にみずからを追い込みながら、金額では世界の半分を占めています。また、中途半端に技術力のある日本勢を見事に打ち落としました。

その変遷のなかで時計革命を主導したセイコーは、皮肉にも精度という差別化要因がなくなったがために、衰退を余儀なくされました。一時は栄華を極めた「世界のセイコー」が、成功体験をアンラーンできず、消費者の嗜好の変化を読み取れなかったのです。最盛期にスイスの時計メーカーを買収していれば、状況は大きく違っていたことでしょう。しかし、自社ブランドへの過信がその芽を摘み取ってしまいました。

一方、シチズン時計は、時計メーカーから部品としてのムーブメントを提供するサプライヤーへ転身しました。現在、スイスの高級時計をはじめ、世界中の時計にはシチズンのムーブメントが搭載されています。シチズンが精度競争の終焉を読んで戦略を転換できたのは、セイコーには決断できなかった、ある種の割り切りです。

時計が問題解決手法で追求できる技術の世界から、答えの出ない雰囲気の世界へ移ったように、デジタルカメラも最終的には同じ道をたどることになるでしょう。シチズンのように部品サプライヤーになるのか、スイスの時計メーカーのように小さな市場でも利益の出る製品をつくるのかはわかりません。いずれにしても、デジタルカメラ・メーカーの経営者は、厳しい決断を迫られています。

後者を選択するのであれば、経営者はみずからの判断が消費者に及ぼす効果までを含めてトータルの流れをつかまなければ、正しい判断はできません。生産性を上げて販売力を強化すれば収益が上がる、という従来の成功方程式が通用する世界ではないからです。そこで求められるのは、問題を要素還元論的に分解するのではなく、全体を俯瞰して考える力です。

問題解決力とコミュニケーション力

いかに高邁なビジョンを掲げる企業であっても、収益性が悪化してキャッシュフローが枯渇すれば倒産します。したがって、経営者の責務とは、数字で裏づけられた経済合理性にかなった判断を下すことです。一方で、社員のモチベーションやロイヤルティ、創造性といった経済合理性の尺度だけでは測り切れない部分を管理し、それを成果につなげる手腕も求められます。前者をマネジメント、後者をリーダーシップと言い換えてもよいでしょう。経営には、この二つが表裏一体となって存在します。優れた経営者は、収益を追求する術と組織を牽引する術を兼ね備えなければならないのです。

かつてピーター・F・ドラッカーは、経営者と社員の関係は、オーケストラの指揮者と楽団員の関係のようだと指摘しました。指揮者は楽団員の技量を熟知し、最高のパフォーマンスを引き出すべくタクトを振ります。楽団員は、指揮者が描く楽曲のイメージを理解し、それに合わせて演奏します。両者は「(顧客である) 聴衆を魅了する演奏」という目的を共有し、その実現に向けて最大限の努力を払うのです。

経営者にとって難しいのは、タクトの振り方、すなわちメッセージの伝え方です。業績が順調な時、積極的な攻めに転じる時、あるいは背水の陣を敷く時などの局面に応じて、または組織の規模、社員の心理状態などによってその手法は異なるでしょう。正しいタクトの振り方とはニュアンスの問題であり、経営者のセンスや人間性に関わるものです。問題解決手法をもってしても見つけることはできません。

ジャック・ウェルチはかなり強くタクトを振っていました。ある年、ゼネラル・エレクトリック (GE) のマネジャー大会で、ウェルチは「今年度の主要ターゲット市場はアルゼンチン、メキシコ、インドだ。そこに全力を注げ」と命令しました。ところがその翌年には、「ターゲットは中国だ」と言うのです。前年に掲げた三カ国はどうなるのかと尋ねれば、「忘れろ」といった具合です。ＧＥほどの訓練された管理職のいる大企業ですと、リーダーの力強いメッセージに対して、組織に咀嚼能力が備わっています。そのため組織が混乱に陥ることも、誤った方向に導かれることもありません。それだけウェルチのリーダーシップへの信頼が厚かったといえるでしょう。

しかし、通常であれば、社員は右往左往し、組織は機能不全に陥ります。だからといって、日本の大企業によく見られるように、トップがあいまいなメッセージしか発しないのも問題です。要するに、経営者は、みずからが発するメッセージに対して社員がどのような反応を示すかを知らなければなりません。

市場や顧客の反応についても、ニュアンスを感じ取り、メッセージが的確に伝わるよう、コミュニケーション・スキルを磨くことが重要です。その方法としては、メッセージがどのように受け止められているかをモニタリングする仕組みをつくるとよいでしょう。「サッチャー革命」を断行したイギリス前首相のマーガレット・サッチャーは、首相就任後、即座にこれを実行しました。国内の優良企業七社から、将来の幹部候補と目される三〇代前半の社員を一名ずつ無償で招集してチームを結成し、毎週一日だけ午後の時間をこの作業に当てたのです。

彼らはイギリス中を回り、首相の発言が国民やメディアにどのように受け止められているかを調査して、サッチャーにフィードバックしました。サッチャーはその結果をつぶさに分析すると、適宜コミュニケーションの仕方を修正していきました。野党の労働党のみならず、与党の保守党内にも反対者が多くいるなかで、彼女が大胆な改革を成就できたのは、巧みなコミュニケーションによって国民の支持を得たからです。

社長室に腰を据えていては、社員や顧客の思いを知ることなどできません。業務が遂行されている現場の空気、自社の製品やサービスに対する市場の反応などから、みずからのメッセージがどのように浸透しているかを知り、そのニュアンスをつかむ努力を実践することも経営者の仕事です。

ビジネスの成功には問題解決手法が不可欠です。その一方で、ニュアンスの領域が求められることも事実です。これを体得する努力を続け、両者をバランスさせていくことで、優れた経営者になっていくのです。

集権と分権

非合理性が支配する世界を合理的な経営で律しようとすれば、多くの矛盾を抱え込みます。これを巧みに組み合わせて収益を拡大している企業を紹介しましょう。ルイ・ヴィトン、クリスチャン・ディオール、ゲラン、ヘネシーなど、合計三九ブランドを束ねるモエヘネシー・ルイヴィトン（ＬＶＭＨ）です。同グループは、傘下のブランド企業の伝統や個性を損ねることなく、グループとして規模の経済を生かし、合理性と理性が非合理性、感性を殺さないシステムを構築しました。二〇〇三年度の売上高は一一九億六二〇〇万ユーロ（約一兆六〇〇〇億円）に上ります。

グループを率いるベルナール・アルノーは、国立理工科大学校卒業後、ハーバード・ビジネススクールで経営学を修めた財務のエキスパートです。一九八四年には投資銀行ラザール・フレールと組んでマルセル・ブサック・グループを買収し、傘下のディオールを手中に収めてブランド・ビジネスの第一歩を踏み出しました。ＬＶＭＨの社長に就任した一九八七年以降は、積極的なＭ＆Ａで歴史と伝統、良質な顧客基盤を持つ高級品ブランドを次々と傘下に収め、世界最大級の高級品ブランド・コングロマリットを築き上げました。

アルノーの卓越した経営手腕は、傘下に収めた高級ブランドを中央集権的に支配しなかったことに見ることができます。財務面では最新のノウハウを注入しましたが、創造のプロセスについては口を挟まず自由を保証したのです。それゆえＬＶＭＨという一つのグループに属していても、各ブランドが独創性を失うことはなく、またブランド間の競争意識がそれに磨きをかけて顧客を魅了し続けています。「ブランド・ビジネスにおける創造性はマーケティングに優先する。経営意識が先行すれば満足な成果を得ることはできない」と語っているように、アルノーはブランドの創造性を損なう不利を熟知していました。

グループとしてのシナジー効果は、広告宣伝や店舗展開、人材リクルーティングなどで最大限に発揮されています。国際線のインフライト・マガジンをめくると何十社ものブランド広告が目に飛び込んできますが、そのほとんどがＬＶＭＨの傘下ブランドです。世界の主要空港にはグループの一員である免税店「デューティーフリー・ショッパーズ」が必ずあり、傘下ブランドの商品を扱っています。持ち株会社のＬＶＭＨは、各社の財務・経理、人事、組織改正ならびに戦略計画など、重要な戦略を意思決定します。また、各社のトップで構成される委員会がグループ全体に関わる戦略的事項を調整することで、グループの一体性を保っています。

経営者というものは、えてして支配力を行使したくなるものです。ナイキのフィル・ナイトなどはその典型でしょう。彼も多くのブランドを買収しましたが、アルノーと違うのは、どんなブランドでも「ナイキ化」してしまうことです。何とも滑稽な話ですが、一九二八年創業のアメリカの高級靴ブランド、コール・ハーンを買収した時も、革靴のソール部分にナイキ・エアを入れてしまいました。

ナイキを愛しているからでしょうが、要はすべてを管理したい性分なのです。傘下のブランドをすべてナイキ化すれば、各ブランドが本来持つ魅力が失われます。ナイキ化で成功するケースもあるでしょうが、ブランド資産を拡充することでシナジーを生み出すという目的からすれば、一つのブランドに収斂していく経営手法は間違いです。ナイトは合理的な経営を行う非常に優れた経営者ですが、ブランドのマネジメントではアルノーの足元にも及びません。

創造性の発揮と計数管理、伝統技術の継承と革新的な新製品開発、独立性の確保と規模の経済など、両立しにくい経営の命題をＬＶＭＨは見事に解決しています。それを実現するアルノーの経営手腕は天才的です。彼はメディアで語ることの少ない経営者ですが、

『ベルナール・アルノー、語る』（日経BP社）で次のように述べています。

「企業の成功は、非合理性と合理性の両方をうまく働かせ、この非合理性を経済的効果に変える能力にかかっています。この水と火の二律背反から、心を奪われるような変化が生まれるのです」

二律背反するものを止揚する能力は思考のトライアルを重ねるなかで磨かれていきます。安易な二元論に逃げ込むことは、ビジネス・プロフェッショナルには許されないのです。

グローバルとローカル

第2章で、ボーダーレスな経済空間では世界の主要市場に等距離を保ち、世界同時展開を志向することが重要であると述べました。サイバー化、ボーダーレス化、いわゆるグローバル化の進展によって、消費者は国や文化的背景に関係なく、同じ時に同じモノを求めるようになっているからです。

私は彼らを「サイバーライト」と呼んでいます。一人当たりGDPが一万ドルになって可処分所得が増えると、八億人のサイバーライトがいっせいに同じ消費行動をとります。

つまり、二〇年前の「トライアディアン」のごとく、日米欧のリアル社会で起こった現象が、サイバー社会に出現したのです。しかも、サイバーライトの購買はインターネットを通じて行われます。〈iPod〉が発売と同時に世界中でブームとなったように、同じ商品が瞬時に爆発的に売れるというわけです。

このような現象は今後ますます加速していくでしょう。いまやそういう時代に突入したのです。くわえて、この五年で携帯電話が急速に普及し、世界で一〇億人が利用するまでになりました。携帯電話でインターネットが利用できるようになれば、サイバーライトは一挙に一〇億人にまで膨れ上がり、一〇億人のボーダーレス市場が誕生します。そして、巨大市場のトレンドをつかんだ世界中の企業が、サイバー空間を使って商品を売り込んでくるでしょう。

業界内に一社でもグローバル展開を本格化する企業が現れれば、他社はコスト競争力で完敗します。たとえば、一〇〇〇億円を投じた新薬の開発を考えてみましょう。一億二〇〇〇万人の日本市場では、一人当たり約八三三円の売上げがなければ開発費を捻出できません。ところが、一〇億人のボーダーレス市場では、一人当たり一〇〇円分の売上げで開発費を回収できます。開発費の償却負担における八倍の差は大きなコスト優位です。同様に販売や製造などにかかる固定費の償却も、どれくらいの規模の市場を対象にするかが勝負の決め手です。その費用は当然価格に反映されるため、一〇億人のボーダーレス市場をターゲットにする企業は、柔軟な価格設定も利益の捻出もしやすくなります。

消費者の変化とコスト競争の理由から、企業にとってグローバル化は必然となっていますが、実際には、このグローバル化の時代に「ローカル化」が進んでいる分野もあります。もはやローカルな部分だけに固執しても守り切ることができるものは少ないでしょう。その一つが、ＩＳＰ（インターネット・サービス・プロバイダー）ビジネスです。

世界制覇を狙ったＡＯＬやイーベイが日本市場では手も足も出ず、撤退してしまったことはそれを裏づけています。商店街としての楽天も国内で強く、それは国によって大きく異なります。比較的世界化したディレクトリ型検索のヤフーにしても、日本ではオークションとブロードバンドが中心です。同社の世界展開の成功を支えているのは、ローカル化戦略であり、ローカルなニーズに徹底して応えることでＶ字回復を実現しました。

グローバル・スタンダードがローカル・スタンダードを塗り替えられない分野も存在しています。その多くは言語や文化が強く影響する分野です。ただし、キーボードのＱＷＥＲＴＹ配列などは、そもそもは合理的でも効率的でもないにもかかわらず、昔のタイプライターは性能が悪く、あまりに速くタイピングすると壊れてしまうため、わざと非効率なこの配列が採用されました。これなど、その歴史ゆえに覆せない類です。

多国籍企業の五つの発展段階に関して、かつて私は「企業は最終的にはすべての主要市場でインサイダーとして行動しなくてはならない」という概念を提示しました。当時は「インサイダー化」という言葉で説明しましたが、要は、進出した国ではローカル企業のように行動しなくてはならないということです。かつて、ソニーの盛田昭夫氏が講演などでよく語っていた「シンク・グローバル、アクト・ローカル」はいまでも重要なコンセプトです。しかし、「シンク・ローカル、アクト・ローカル」という発想も時には必要なのです。

グローバル企業というものは、本社の管理を強め、ある国で成功した手法を他の国に持ち込もうとします。国によってビジネスの習慣は異なります。成功手法とはいえ、活動上の制約を受ける現地子会社は、地元の競合企業や自由度の高い現地子会社より動きが鈍くなりがちです。グローバル展開する商品であっても、日本、中国、インドなど、それぞれ地域の特性に合わせた売り方、品揃えなどを考慮しなければ売れないのと同様に、企業活動にもある程度のカスタマイズが必要です。

とはいえ、本社から完全に独立したローカル企業をつくっても、子会社の数が増えるだけで、グローバル化のメリットを生かし切れません。グローバル化の目的は一〇億人（消費者商品なら六〇億人）市場へのアクセスとコストダウンなのですから、財務や人事、研究開発、購買といった機能はグローバルに共有すべきでしょう。さらに、ローカルの知恵をグローバルに活用できる仕組みをつくることも必要です。

ＩＢＭでは『グローバル・ソリューション・ディクショナリー』というデータベースを構築しています。同社のビジネス・パートナーが、他のパートナー、一般顧客、ＩＢＭの営業マンにソリューションを公開し、これを共有することで、協業の機会を得ようとするものです。もちろんそこで得たナレッジは門外不出ですが、顧客企業も納得できる透明性の高いルールをつくれば、ナレッジをグローバルに活用することが可能です。

マッキンゼーでも、世界中のオフィス間でコンサルタントを頻繁に交換して、ある国で考え出されたノウハウのコンセプトだけを抽象化して、世界全体で共有できる仕組みをつくりました。このようにグローバル化とローカル化のよい部分を統合することで、真のグローバル企業が完成するのです。

競合と顧客

戦略を策定するに当たっては、競争相手を計算に入れることはもちろん大切ですが、それを第一に考えてはなりません。「顧客のニーズ」を丹念に調べ、そのニーズに応えるには自社がどの程度の「真の自由度」を持っているかを綿密に分析することも重要です。その際、顧客のメリットを優先的に考え、その生産性やパフォーマンスの改善に貢献できれば、顧客基盤の健全性、収益性、ロイヤルティを強化し、その購入意欲や購入能力を高めることができます。

具体的手法としては、「プロフィット・ドライバー」（利益を拡大させるカギとなる要因）の再定義が有効です。その視点から新たな成長をとらえてみると、手の施しようもなくコモディティ化が進んでいる、あるいは戦略的な魅力に乏しいという理由から見向きもされなかった業界にも、成功事例が転がっています。たとえば、メキシコの生コンクリート会社、セメックスは、コモディティ産業にあって、事業単位の変更という、きわめて地味な作業を積み重ねることで、競合他社を大きく上回る成長率を実現しました。

成熟産業の生コンクリート業界では、代わり映えのしない商品と競争ルールで、マンネリ化した競争が繰り広げられていました。生コンクリートは品質の劣化が激しく、ミキサー車に注入し始めた瞬間から凝固し始めるため、迅速に輸送して納入しなければなりません。メキシコのように都市開発が急速に進む市街地は、交通渋滞や天候、不安定な建設労働者の供給などの理由から、正確な配送計画は至難の業です。同社の顧客である建設会社は、現場の受け入れ準備が整う前に生コンクリートが届いてしまう、あるいはもっと悪いことに、生コンクリートが届かずに高賃金の作業員たちを遊ばせておくことにもなりかねませんでした。

一九八五年、メキシコのセメックスのCEOに就任したロレンソ・サンブラーノは、この事業には改善の余地があると考えました。業界の慣習では生コンクリートを立方ヤード単位で販売していましたが、顧客にとってはコモディティ商品である生コンクリートの価格より、必要な量が、必要な時、確実に届くことのほうが重要でした。これを察知したサンブラーノは、配送において強みを打ち出そうと考えたのです。

長年のマンネリ化した競争ゆえにできてしまった事業の死角をあぶり出すために、セメックスは新たな視点を持ち込みました。一つは品質改善運動です。日本では“Why×5”

（「なぜか」を五回唱えよ）として普及している手法で、「なぜ改善できないのか」を問い、各指標について五つの解を導くことから根本的な原因にたどりつき、解決策を手に入れるというものです。セメックスもなぜを五回繰り返し、顧客の要望に応えうる、自社のコア能力を突き止めました。

そして、もう一つの方法がベンチマーキングです。その対象は競合他社でなくてもかまいませんが、ビジネスの慣習を刷新することでパフォーマンスの改善に成功した企業を対象とすると効果的です。セメックスは、フェデックスや宅配ピザ会社、救急隊などをベンチマーキングしたことで、ミキサー車の行き先を適時変更できるシステムを開発しました。地域全体の配送パターンを最適化したことで、突然の注文にも即応できるようになり、いまでは受注後数時間以内で生コンクリートを届けることが可能です。数分以内で納入する場合もあれば、注文変更にも繰り返し応じています。また、顧客の需要予測や資金繰り計画の策定も手助けしています。

メキシコの一地場企業にすぎなかったセメックスは、いまや生コンクリート業界で世界第三位であり、第二位の地位を視野に入れるまでに成長しました。新興市場における積極的な買収と構造転換が功を奏して、二〇〇三年の売上高は約三〇カ国で合計七一億七〇〇〇万ドルに達しています。

セメックスの戦略が奏功した要因は、コモディティ商品から顧客が本当に求める配送サービスへと事業の主軸を移したことです。つまり、事業単位を立法ヤードから納入時間帯へと変更したわけですが、これは実務レベルでは単純な変更にすぎません。しかし同社は、情報、ロジスティックス、配送インフラまでも、納入時間帯という概念に照らして変更しました。さらに、業績指標やインセンティブ制度も顧客の関心に見合ったかたちで改善し、自社の抜本的な事業改革が業界全体まで波及していきました。

このような抜本的な改革は、成長を推進する強力な原動力となります。セメックスのように能動的に行動することで、顧客のコア能力を改善する方法を迅速に発見できれば、足かせとなっている制約条件は雲散霧消するからです。そして、利幅の薄いコモディティ商品から脱却し、顧客が受け取る価値を基準に、自社製品の価格を設定できるようになるのです。

競争の観点から見れば、ライバルは事業単位の変更など予想だにせず、そう簡単に対抗策を打ち出せません。事業単位と業績指標を変更してしまえば、永久とはいかないまでも、長期的な競争優位を構築できるでしょう。問題解決能力の守備範囲を広げて、自社の株主価値を新たに創造できればいっそう効力を発揮するはずです。

インド人ラクシュミ・N・ミッタルが率いるミッタル・スチールも、鉄鋼というコモディティ分野で世界一に躍り出ました。途上国の老朽化した製鉄所を買収し、これを磨き上げる地道な努力を積み重ねてきたのです。最新鋭の装置にしか興味を示さない日本勢と対照的に、裏道街道を突き進んできたのです。そしていまやＢＲＩＣｓの旺盛な鉄鋼需要が追い風となって、収益力もいちだんと強化されました。ここから先は「世界一」のレッテルがものを言うのでマルチプル経済をうまく使うことができます。つまり、ミッタル・スチールはすでにグローバルであり、それゆえここで世界一という形容詞から「倍率」という二一世紀経済の魔法の杖を手に入れたのです。

自由と統率

市場、顧客、製品やサービスについての事実に基づく分析は、いわばパレットに押し出された絵の具であり、戦略的な頭の持ち主が自らの構想を書き出すための材料にすぎません。次に必要なのは、自社の製品やサービスの本質は何か、いったい何の役に立つのかを考え直し、製品を設計、製造、販売するためのビジネス・システムをどうすれば最もうまく組織できるかを、新たに考え出す意欲です。

その際、新しい事業の構想や実現を導くのは、自由な発想と行動ですが、事業の発展と継続には、従事する人々を統率しなければなりません。つまりビジネスには、「自由」と「統率」という相矛盾する作用が不可欠です。これらは時に、組織内に衝突を生み出します。それが組織のダイナミズムであり、変化への適応力を育成するのですが、近年はこれらをどのようにバランスさせればよいかについて、多くの組織が試行錯誤を重ねています。

統率を緩やかにして個人の裁量の範囲を拡大する試みがなされているように、自由の拡大が正しい方向であることは間違いないでしょう。統率が効果的に機能するのは、環境変化が小さく、あらかじめ設計された手順に従って職務を遂行することで生産性が向上する場合に限られます。今日のように環境変化が激しく、素早い対応が求められる状況においては、個人の自由裁量の範囲をできるだけ広くしたほうが、かえって生産性が高まるのです。また、権力の集中を伴う統率が強力になると、個人が組織の歯車となって、自由な発想が生まれにくくなります。こうなると、組織は柔軟性を失い、環境の変化に適応できない体質となってしまいます。

端的な例を、経営難にあえぐ日本の私鉄業界に見ることができます。現在、私鉄各社の財務はバブル期に行った路線拡張と沿線開発の失敗、少子高齢化による旅客数の減少などから逼迫し、資産総額が時価総額を大きく上回っています。線路や駅の敷地あるいは他に転用できない資産が含まれているにせよ、経営の効率性の観点からは看過できない問題を抱えているため、市場はこれを著しく低く評価しています。なぜでしょうか。

私鉄各社は、明治時代あるいは戦後に、阪急電鉄を創始した小林一三氏や東急電鉄を創始した五島慶太氏によって考え出されたビジネスモデルを引き継ぎ、いまだにそこから脱却できずにいるからです。まず鉄道を架設して駅をつくり、沿線の宅地を開発します。次にバスやタクシーなどの交通機関を整備して地域開発を進め、住民や買い物客などを引き寄せるために、私鉄各社の系列スーパーやレジャー施設をつくったり、医療機関、学校などを呼び込んだりします。同時に、首都圏の私鉄発着拠点となる主要ターミナルには大型百貨店を構えて沿線から客を誘引します。沿線住民が増えれば旅客収入が拡大すると同時に、地価が上昇して保有する土地の含み益が膨らむという構図です。

このビジネスモデルが、世界に類を見ない日本の私鉄の隆盛を導いたことは事実です。小林一三氏や五島慶太氏といった創設者たちには優れた先見力と構想力、実行力がありました。残念なのは、彼らのプロフェッショナルとしてのＤＮＡが各組織に受け継がれなかったことです。時代の変遷に合わせてビジネスモデルを変えていく、あるいはまったく新しいモデルを構想する人物を一人も輩出できなかったことは驚きです。鉄道は公共性が高く、また規制事業であるため、組織があまりにも統率一辺倒だったためなのでしょうか。

銀行もこれとまったく同じ構造です。合従連衡で規模だけは大きくなりましたが、相変わらず横並びのまま中身は何ら変わっていません。かつて旧大蔵省の護送船団ルールの下で、利ざやさえ稼げば安穏としていられました。そういう環境では、新しい発想などする必要はありません。むしろ自由な発想は業界の秩序を乱すことになりかねず邪魔だったのでしょう。不良債権でひっくり返った後も枕を並べて寝っ転がり、公的資金やゼロ金利という集団催眠術で蘇生しようというところばかりでした。いくら国民や預金者の犠牲のうえに彼らを救ったところで、二一世紀に生き残ることができる能力を備えているとは思えません。

組織さえしっかり統率していけば万事うまくいくという構造のなかで、長年、既定路線を踏襲して組織の階段を上り詰めた現在の経営陣に、変われといってもそれは無理というものです。アセット・アロケーションやクレジット・デリバティブなど、高度な金融工学を駆使した新サービスを開発したり、ストラクチャード・ファイナンスやプロジェクト・ファイナンスといった投資銀行業務に軸足を移してグローバルに競争したりすることなど、望むべくもありません。

ましてや大型コンピュータから、サーバーを駆使したオープン・システムに移行することなど、彼らには発想さえできません。その分野ではインドの技術者のお世話にならないといけないのですが、自分の会社の要求仕様をまともに書ける人がシステム部にいるわけもありません。スペシャリストばかりでプロフェッショナルを育ててこなかったツケが、ここにも出ています。

私鉄も銀行も、既得権益にしがみつく被統率者の集団ですから、革命など起こせるはずがありません。非効率的な部分が温存され、国際競争力のない産業が生き残っていては、日本全体が活力のないまま沈んでしまいかねません。古い体質の企業が革命を起こすには、外部から新しい血を入れ、自由な発想のできる人に経営を任せる覚悟が必要なのです。

一九八〇年代、アメリカではＬＢＯ（レバレッジド・バイ・アウト）ファンドが続々と登場し、非効率な経営を行っている企業を買収して経営陣を送り込んで、リストラを断行させました。資本の論理によって、外部から「自由」を注入したのです。これが、みずから変革できない企業に覚醒を促し、アメリカ企業の競争力を回復させるうえで非常に大きな役割を果たしました。

戦後、日本の経済復興を牽引した経営者はみな、「必ず自分はできる」というメンタリティで古い秩序を破壊し、果敢に事業にチャレンジしていきました。本田宗一郎氏は「やらまいか」と言い、松下幸之助氏は「立ったら歩きなはれ」と言い、あるいはサントリーの創業者である鳥井信治郎氏は「やってみなはれ」と言って、みずからと部下たちが事業に立ち向かう気概を奮い立たせてきました。彼ら三人の言葉に共通する意志を英語でいえば、ナイキのフィル・ナイトのモットーである"Just Do It"です。この言葉に込められた事業家魂、異端者精神は、新たな事業機会を創出するうえで非常に重みがあるものです。

創意工夫をせず、決められた仕事を確実にこなすことだけが求められる組織からは、前例にとらわれない自由な発想、新しいことに挑戦するエネルギーは湧いてきません。したがって、いま日本企業に必要なのは、自由な発想をする人が活躍できる環境をつくることです。凝り固まった思考で判断する統率者たちを追い払う勇気と、機能不全に陥った組織やシステムを破壊する行動力が求められます。その変革のプロセスを経て、新しい日本企業の姿が生まれるのです。

右脳と左脳

多くの人は、ロジカル・シンキングや戦略思考というと、データを集めて、正確な分析をすることであり、それが前例のない問題を解決するプロセスであると誤解しています。真に創造的なブレークスルーの多くは、物事の裏に隠された相互関係、すなわち脈絡がはっきりしないために埋没してしまった「パターン」を見抜くことで得られます。実はこの作業は、人間の「視覚的思考」をつかさどる右脳、言い換えれば直観的な洞察によって行われるものです。

人間の「考える」という作業は、記憶したものを並べ替えたり組み合わせたりしているにすぎません。それゆえ思考能力は、記憶の特性に大きく左右されます。いわばコンピュータの計算能力や速度が、記憶装置の容量や速度で制限されるのと同じです。人間の記憶は、言語中枢をつかさどる左脳によって行われます。その働きは、作業を一つずつ順を追って行うという点で、コンピュータの記憶装置と酷似しています。

ところが、左脳とコンピュータの作業手順には問題があります。もし一つでもデータが欠けていると、解答不能の状態に陥ってしまうのです。つまり、左脳もコンピュータも大きな力を持ちながら、創造力に欠けているというわけです。創造力を備えたコンピュータをつくるには、右脳に相当するような視覚的・全体的（holistic《ホリスティック》）に記憶する装置が必要です。しかし科学者たちは、どうすればそのような装置をつくれるのか、いまだその手がかりすらつかめていません。

人間は、言葉を話したり、理解して論理的に思考したりする左脳と、言葉ではなくイメージの認知によって感情的、直観的に思考する右脳という二つの能力を備えています。論理的かつ直観的という二つの異なる機能を兼ね備え、これを駆使できるのは人間だけに与えられた能力です。ただし、同じ経験をしてもそれぞれの脳の受け止め方は異なります。それゆえ左脳の論理力に頼るか、右脳の直観力に頼るかによって、能力はもちろん人柄まで大きな差が生じます。つまり、個人の能力や人格は、「脳の使い方のクセ」に強く影響されているのです。

このように、人間は駆使しやすい片方の脳を使って、習慣的にアプローチを決めてしまいます。たとえば、「頭は一つ」などと考えるのは、左脳の言語的思考によるもので、右脳の貢献をまったく無視しています。不幸にも、現在の学校教育は過度の左脳重視に偏重し、右脳的思考を封印しています。その結果、ビジネスの世界でも、無口であまり口を出さないパートナーとの合弁事業が、次第に均衡を欠く方向へ進展していくといったことが起こるのです。

正常な脳は、ある事象に対して左脳が反応するか、右脳が反応するかを常に選択しています。しかしこれは、人間が意識的に決定するものではありません。左脳も右脳もそれぞれに問題を解決しようと試み、その可能性を先に察知したほうが反応します。左脳と右脳が競合した場合は、より高度に活性化されたほうが他方を制御します。できれば、解答に適した側の脳が支配するのが理想的ですが、必ずしもそうなるとは限りません。

恐ろしいことに、この競争メカニズムにおいて、ある課題について右脳が左脳に一度でも負けてしまうと、次からは同じ課題に対して右脳は注意を払わなくなり、左脳に対する競争力が次第に劣っていきます。これが繰り返され、時間の経過とともに優劣の差が広がると、問題解決に際してもはや右脳の出番はありません。これを放置すれば、右脳に注意を促して問題解決に参加させることさえ困難になってしまいます。

両脳を同時に駆使し、言語的問題と視覚的問題を並行して考えることは不可能ですが、片方の脳が思考している時、もう一方の脳が自動的に働く範囲であれば、その知識や能力を使うことができます。たとえば、話をしながら車の運転をするなどはその典型です。意識的に右脳が支配権を握っていても、単純な作業であれば左脳の力を引き出すことができるのです。このように、左脳と右脳の機能は分化していても、衝突することなく両者に特有の機能を相互に使える仕組みになっています。

アイデアを図案化したり、図式化したりする手段は、右脳的思考が支配権を握るのに有効です。左脳の論理的思考から解放されることにより、右脳の直観的思考は次々にアイデアを創出することが可能となります。しかし、右脳は自身でこれを論理的に評価することはできません。その価値を厳正に評価し、問題点を解決するには、左脳の論理的思考に依存しなければなりません。右脳と左脳の間のこの相乗効果こそが、アイデアの実現の基礎となるものです。

だから文章に書き出す前に、人に口述してみる方法も有効なのです。特に相手に怪訝な表情をしてもらうと、何とか自分の考えを伝えようとして思考空間が拡がり、あらゆることを考え始めます。実は抽象的なことを見えるように話す能力を持った人がいます。二一世紀の経済については、それが「正常」なのです。

科学の進歩は多大な恩恵をもたらすものですが、人間の脳の力はまだまだ未知の領域です。しかし私たちは、右脳（直観）と左脳（理論）の機能分化と相互作用という現象を理解しました。左右両脳が織り成す複雑かつ未知の相互作用の解明に向けて、人間は重要な第一歩を踏み出したのです。両脳の適性を正しく理解し、自分の「脳の使い方のクセ」に気づくことができれば、意識的に適切なほうに支配を委ねることで、その働きを積極的に支持できるようになるはずです。ただし、論理や言葉はツールにすぎないということを忘れてはなりません。

優れたビジネス・プロフェッショナルには、直観、洞察、創造といった右脳の力を、左脳がもたらす論理的能力に有機的に結びつける努力を積極的に行うことが求められます。また最近では、コミュニケーションの観点からも、右脳に注目が集まっています。いわゆる「ＥＱ」（emotional intelligence）です。ちなみに、ＥＱは、エール大学教授のピーター・サロベイ博士とニューハンプシャー大学教授のジョン・メイヤー博士によって理論化されたものです。日本では「こころの知能指数」と訳されます。

ＥＱが高いということは、自分の情動を調整する能力、対人関係を良好にする能力、他者の心の機微を敏感に察知する能力に長けているということです。その能力が目標の達成や人間関係の構築と維持を実現させる行動力を生み、さらに周囲からの支援を得やすくします。
二一世紀のグローバル市場を目の当たりにした世界の人々は、周囲を取り巻く環境の変化に順応すると同時に、新大陸が世界中の人々との相互依存関係を要求していることを理解するようになりました。それゆえ、互いの存在意義と必要性を認め合い、成熟した依存関係の姿を模索し始めているのです。成熟した依存とは、相手の心理的ニーズを理解し、自分のニーズを上手に伝え、相互に満足を得られるギブ・アンド・テイクの関係を構築することです。これを実現するには、ＥＱを高める努力が必要です。

右脳は感情の脳であり、左脳は理性の脳です。現在の学校教育が左脳の知育に偏重していることは先に述べましたが、ＥＱを高めるには右脳を使う情操教育や運動をもっと重視しなければなりません。ひらめきと直観において天賦の才能を発揮したミケランジェロやピカソ、モーツァルトやバッハ、あるいはスポーツ選手や芸術家、科学者たちに左利き（右脳を使うクセがあります）が多いのは偶然ではありません。

カリフォルニア工科大学教授のジエール・レビーの研究によって、視覚的思考には右脳を使い、論理的思考には左脳を使う人間がいる一方で、適不適に関わりなく習慣的に右脳あるいは左脳の片方だけを使う人間もいることが証明されました。人間の習慣化された

「脳の使い方のクセ」が、左脳と右脳の活性化に大きな影響を及ぼし、個人差を生み出しています。

また、天才児教育の現場で、ＩＱ（知能指数）が高い生徒に言語的問題と図形的問題を解く場合の視野の方向を観察したところ、生徒の九六パーセントが問題内容に適切なほうに視野を向けることが判明しました。言語的問題には右視野（左脳）を使い、図形的問題には左視野（右脳）を使っていたのです。ちなみに一般の生徒に同じ実験を実施したところ、すべての問題に対して圧倒的に右視野を使っていることが判明しました。

以上の結果を踏まえて考えれば、ＩＱが高い、すなわち論理的思考に長けた人間は頭脳明晰で成功確率も高いという通説が、必ずしも正しいとはいえないことがわかります。ＩＱ以外の要因として唯一考えられる、右脳の働きが重要であることは明らかです。事実、ビジネスの世界においても、多くのリーダーが直観に頼って意思決定を下しています。ヘンリー・ミンツバーグが「管理者の行動分析」で立証しているように、トップの意思決定には不確定要素や不合理な計数が山ほどあるため、単純な論理に基づく決断などができる状態ではありません。それゆえ直観力は意思決定の重要な要素の一つであり、実際、経験に基づく直観的判断は、整然とした論理的思考と同じくらい正確なのです。

しかし、ＥＱという概念がどちらかというと「こころ」の領域を指しているのに対して、ひらめきや洞察について、ＩＱとＥＱ、あるいは左脳と右脳の相互作用という第三の領域について考える必要があると私は思っています。つまり、左でも右でもない新しいものを考えつき、かつ事業を創り出す能力、ＥＱもＩＱも超越した総合力としてのプロフェッショナルな人物像――これこそが、二一世紀の見えない世界を切り拓く能力です。

ビジネスの世界では、ノウハウの習得あるいは記憶によって、ある程度の好成績を収めることができます。しかし、教わることでは得ることのできない知識や能力というものがたしかに存在するのです。それは、二一世紀の新大陸で現実の成功をつかむための必要条件であるといえるでしょう。人材育成研修、ＭＢＡ取得などは、ビジネス・プロフェッショナルの左脳の能力向上に比重を置いた訓練を重ねます。左脳の訓練が可能ならば、右脳の能力を高める方法も発展させることができるはずです。また、両方を駆使する訓練も、当然、これから徐々に生み出されていくでしょう。

ビジネス・プロフェッショナルとしての問題解決力のスピードと質を上げるには、左右両脳をバランスよく使うと同時に、その相互作用の妙に気づくことが大切です。一例として、本章の冒頭で述べた問題解決手法の誤解を解いて、これらをどのようにバランスさせて使えばよいかを説明しましょう。

問題解決手法はロジカル・シンキングからスタートします。まず事実に基づいて質問し、問題の範疇を狭めていくわけです。ここで使うのが分析的・論理的な思考をする左脳です。次に、戦略的自由度を探るプロセスでは、直観や創造力を生み出す右脳を駆使して、幅広く答えの可能性を見つけていきます。そこから出てきた答えを再び事実に基づいて検証・評価し、利害得失、実行の可能性、適任者の有無、組織の受容性などを検討して選択の幅を狭め、最終的に一つの案にまとめます。このプロセスでは、再び左脳型思考に切り替えなければなりません。アコーディオンでいえば、広げた蛇腹を再び縮めるわけです。そうすることで、初めて解決策が立案できるのです。

解決策に対して行動計画を立て、人員を配置し、予算を計上して実行するプロセスでは、その気にならない人を「その気にさせる」ための説得や交渉が必要です。ここで再び右脳型思考となります。ここまで到達して初めて問題解決手法の全プロセスが完結し、前例のない問題が解決されます。要するに、問題解決手法とは、左脳型思考と右脳型思考を必要に応じて切り替えながら、さらに両者の相互作用で新しいやり方まで創出していく思考作業であるということです。

あとがき

二一世紀の経済社会の特徴は、大きな流れが実は見えない、ということだと述べました。産業革命以来の社会は、蒸気機関車であり、車であり、住宅であり、家電や情報機器のようなもので、見ることも触ることもできました。しかし、最近アメリカで生まれて時価総額が一兆円を超えた企業を見ていると、そのほとんどはサイバー上のガリバーです。サービス産業には違いありませんが、銀行や百貨店とは違って、これまた見えません。アマゾンにしても、イーベイにしても、ましてやグーグルにしても、大理石の立派な店舗など持っていないのです。もちろんこうした企業の本社に行けば、多くの人が働いており、何かをやっている、ということがわかりますが、顧客との接点は店舗ではなく、ポータル（入り口）と呼ばれるパソコン画面です。

この世界で活躍する人々には若い世代が多くいます。それは新しい技術を使うからではなく、古い考え方を捨てなければ発想から行動につながらないからです。〈iPod〉の主はスティーブ・ジョブズであり、けっして若くはありません。ですが彼は、長年ＩＢＭやマイクロソフトとの格闘を続けてきた戦士ですから、若い世代のような行動様式で発想も行動も大胆です。二〇代の大学院生が生み出した〈グーグル〉にも劣らぬ大胆な発想で、ネットワーク時代のマルチメディア・エンターテインメント・ステーション〈iTunes Music Store〉を立ち上げています。これはじきにミュージックという名詞を取り去ることになるでしょう。なぜならミュージックだけでなくラジオやテレビ、そして映画などの配信がここで行われるはずだからです。そうなればネットワークから文字どおりすべての媒体メディアをダウンロードして、どこにいても楽しむことができるようになります。車でも、家庭でも、通勤中も、いつでもどこでも、というユビキタスな環境となるのです。

しかし、見えない世界をさらに目を凝らして見ると、ジョブズの敵はネットワークであり、その意味では再びマイクロソフトかもしれません。ブラウザをすべての機器に入れ込もうとしているマイクロソフトが成功すれば、ネットワーク時代にはダウンロードするハードディスクドライブ（HDD）は必要ありません。つまりオンデマンドで聞きたい時、見たい時にサーバーからダウンロードすればよいからです。現にブロードバンドが高度に普及している韓国では、DVDの売上げもHDDなどもすでに下火になっているそうです。その理由は、ダウンロードせずに映画、テレビ、音楽などをそのつどネットワークを通じて楽しむことができるからです。

こうした状況を、あたかも見てきたかのごとくに頭に描けるかどうか――リビングルームの五年後の姿、車の五年後の姿、財布の五年後、書斎の五年後があなたには見えているでしょうか。いまとはドラスティックに変わっているはずの、そこに見えてくる新しい事業機会。そこに忍び寄る企業や産業の突然死。そうした大きな流れに対して、企業を正しく導いていける集団――これこそが二一世紀のザ・プロフェッショナルなのです。

いままでの流れの中で専門知識と行動規範で優れているスペシャリストがなぜ陳腐化するのか？　与えられた組織をうまく動かす能力に長けたスーパー・ゼネラリストがなぜ頓挫するのか？　それは、能力があればあるほど、間違った方向に集団を早く導いてしまうからです。いま問われているのは程度や規模ではなく、「方向」なのです。そして、当面の困難を克服する発想と、それをやり抜く勇気。道なき道に一筋のパスを嗅ぎ分ける力。見えないものを見る力。こうした訓練を積んだ人材が求められているのです。

環境が変わってもすぐに対応していくだけの本物の力。所与の環境の中だけで活躍するのではなく、新しい環境、より厳しい競争、世界的にトップレベルの人と競わなくてはならない環境。そこにあって、すぐに自分の本来の姿を取り戻し、かつそうした人々のなかでも際立った活躍をする人材――イチローや松井の例でも述べましたが、問題解決能力においても、状況把握の力においても、こう着状態から抜け出す発想力にしても、プロフェッショナルに要求される能力レベルは高いのです。従来の国別、産業別の戦いではなく、サイバー社会やＢＲＩＣｓ、そして高等数学を駆使するマルチプル経済など、いずれも高度な知識と実用的な能力を持っていることが要求されます。何よりも、従来のものの見方や考え方、慣習や規則などに縛られないことが第一の条件です。

しかし、自由な発想だけでは仕事はできません。それが正しい方向であり、かつまた顧客も"ready"（準備完了！）と言ってくれるものでなくてはなりません。〈iPod〉が爆発的に売れたのは、世界中で一〇億人近い人がパソコンでダウンロードするのに抵抗がなくなっていたからです。また、ジョブズ自身が自社（アップル）の〈マッキントッシュ〉にこだわらず、世界標準となっている〈ウィンドウズ〉のブラウザを使ったからです。捨てるものを捨ててこそ浮かぶ瀬もあり、とはまさにこのことでしょう。〈グーグル〉が普及したのも、世界中で八億人もの人がＵＲＬを持っており、彼らがサイバー・ジャングルの中で「水先案内人」を希求していたからにほかなりません。

本書の中で、私は、従来ビジネススクールで教えられているフレームワークについてかなり批判的な考え方を述べました。三〇年前に発表した「戦略の３Ｃ」についてさえ批判しました。これらのフレームワークが役に立たないわけではありません。学校で「基礎編」として教えるのはそれでよいでしょう。しかし、それを学んだ人が、そのフレームワークを使って物事をすべて解釈し、理解し、他人にも説明しようとすることの危険性を指摘したい、と思ったのです。つまり何十年も前の学者の頭のレベルで、自分の頭までがフリーズしてしまうことの怖さを指摘したかったわけです。

頼りになるのは自分の頭しかありません。それがうまく機能しなかったら、何人かで「一つの頭」となるべく大いに議論しなくてはなりません。仮説を出して議論し、事実に基づいて論証しなくてはなりません。業界や企業内の常識をすべて疑ってかかることから始めなくてはなりません。世代を超えて、一〇代や二〇代の人々の経験、習慣、感性を事業に取り込んでいかなくてはならないのです。

戦略は、結局それを練る人の頭の中で生まれ、練られ、完成されます。〈グーグル〉や〈iPod〉の登場が五年早ければ、〈ナップスター〉や〈ネットスケープ〉と同じ運命をたどったかもしれません（私が本書で、タイミング・スペシフィックということを強調したのもこのためです）。また、方式や自社製品への対応を優先していれば、〈iPod〉はかつてのベータマックス（ビデオ規格）、ＭＤ、ＤＡＴの運命と同じだったことでしょう。次世代ＤＶ

D方式のツッパリ合いをしている〈ブルーレイ〉や〈HD DVD〉の運命も、そうして考えるとすでに見えているようなものです。

ソニーが〈iPod〉に後れを取ったのは、自社内にコンテンツ（音楽や映像）を持っていたためです。ネットワーク時代には世界中のあらゆるコンテンツを分け隔てなく届けられることが強みとなります。一〇年前まではコンテンツを持ったところが垂直統合して強さを競いました。しかし、AOLとタイムワーナーの合併が失敗に終わったことの意味合いを吟味していない輩（ホリエモンがフジテレビの買収に走ったように）がいまだにたくさんいるのです。

これからは、事業に成功するのも失敗するのもビジョン次第です。そして、ビジョンを描けるか描けないかは、人次第なのです。戦略は人に依存しているので、私は本書を通じて一貫してパーソン・スペシフィックであり、〈iPod〉で述べたようにタイミング・スペシフィックであるという点を強調しました。フレームワークは重要ですが、最近の成功企業のほとんどは既存のフレームワークを破壊するところから出発しています。

だからこそ、こうしたジャングルの中で、道なき道を嗅ぎ分けて集団を導いていく人材、ザ・プロフェッショナルが待望されるのです。

［著者］
大前研一（おおまえ・けんいち）
ビジネス・ブレークスルー大学院大学学長。早稲田大学理工学部卒業、東京工業大学にて工学修士、マサチューセッツ工科大学（MIT）にて工学博士号を取得。現在、大前・アンド・アソシエーツ代表取締役、ビジネス・ブレークスルー代表取締役。カリフォルニア大学ロサンゼルス校（UCLA)、オーストラリアのボンド大学ビジネススクール、韓国の高麗大学および梨花女子大学などで教鞭をとる。著書に『企業参謀』（プレジデント社）、『新・資本論』（東洋経済新報社）、『考える技術』（講談社）など多数。

ザ・プロフェッショナル——21世紀をいかに生き抜くか

2005年9月29日　第1刷発行

著　者——大前研一
発行所——ダイヤモンド社
〒150-8409　東京都渋谷区神宮前6-12-17
http://www.diamond.co.jp/
電話／03·5778·7228（編集）　03·5778·7240（販売）
装丁————遠藤陽一
製作進行——ダイヤモンド・グラフィック社
印刷————八光印刷（本文）・新藤（カバー）
製本————ブックアート
編集担当——榎本佐智子

©2005 Kenichi Ohmae
ISBN 4-478-37501-1
落丁・乱丁本はお手数ですが小社マーケティング局宛にお送りください。送料小社負担にてお取替えいたします。但し、古書店で購入されたものについてはお取替えできません。
無断転載・複製を禁ず
Printed in Japan

講義を受けるだけじゃない！　多くの演習に自分の頭で考えて回答（アウトプット）する。これがこのプログラムの特徴です。
だから、ロジカルシンキングが確実に身に付くのです！

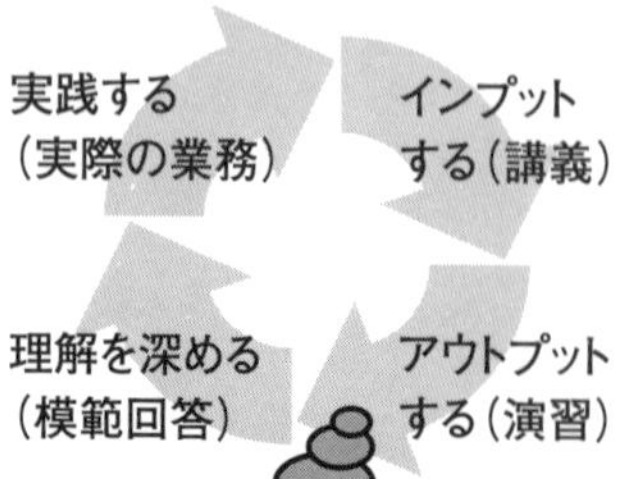

このサイクルを徹底的に繰り返すことがロジカルシンキングを身につけるもっとも確実で効果的な方法なのです！

問題解決必修スキルコース（本質的問題発見コース）

問題解決を進める上での必修技能「ロジカルシンキング」、その原則や技法を実践的講義と演習で学び、自分の頭でしっかりと考える力を基礎からトレーニング。

問題解決実践スキルコース

分析力、構想力を生かし、インパクトある解決策を導き出すための「仮説思考」と、解決策を実行し　成果を出すための「仕組み作り・仕掛け作り」について学びます。

どんなことができるようになるの？

当プログラムホームページ（下記）で「修了生の声」をご覧ください。経営者の方、営業職の方、SEやコンサルタントの方々が、ロジカルシンキングを身につけてどのような成果を得たのか、具体的にご理解いただけます。

講義や演習はどんな内容なの？

当プログラムホームページ（下記）から資料をご請求ください。ビジネスの第一線で活躍されている講師の方々の実際の講義を視聴することができます。

プログラムの詳細
お問い合せ先

http://WWW.LT-Empower.com/
経営管理者育成プログラム事務局
0120-48-3818 E-mail：info@LT-empower.com

無料メルマガ「大前研一ニュースの視点」のご購読は下記URLからどうぞ！
http://WWW.LT-Empower.com/

真のプロフェッショナルを目指せ！

プロフェッショナルは感情をコントロールし、理性で行動する人です。専門性の高い知識とスキル、高い倫理観はもとより、例外なき顧客第一主義、あくなき好奇心と向上心、そして厳格な規律。これらをもれなく兼ね備えた人材を、私はプロフェッショナルと呼びたい。（本文第1章より）

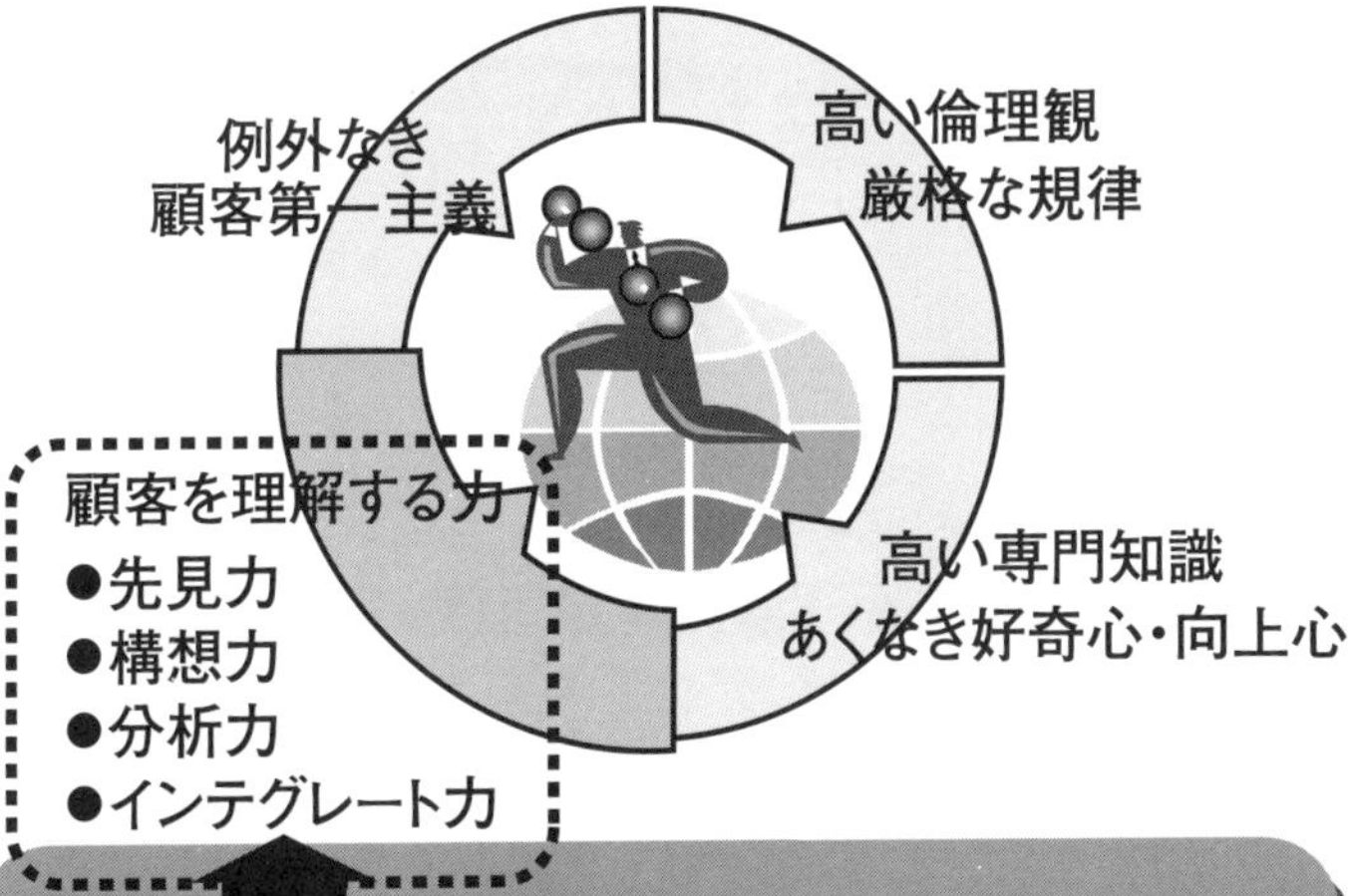

21世紀に生きる真のプロフェッショナルには「顧客を理解する力」が必須です。その力の基礎となるのが「ロジカルシンキング」。「ロジカルシンキング」を身につけるなら、受講生3,000名の実績ある確かなプログラムでトレーニングすることをお勧めします。

大前研一
総監修

◆問題解決必修スキルコース
（本質的問題発見コース）

◆問題解決実践スキルコース

世の中ど―なってるの?! 大前さん!

無料メルマガ「大前研一ニュースの視点」

ご購読の
お申込みは
こちらから

No. 1ビジネス・コンテンツ・プロバイダー
株式会社ビジネス・ブレークスルー

大前研一総監修の双方向ビジネス専門チャンネル（スカイパーフェクＴＶ! 757ch）：ビジネス・ブレークスルーは、世界最先端のビジネス情報と最新の経営ノウハウを、大前研一をはじめとした国内外の一流講師陣が、365日24時間お届けしています。4000時間の日本で質量ともに最も充実したマネジメント系コンテンツが貴方の書斎に!! ブロードバンド放送でもご覧になれます。

BBT大学院大学 (Kenichi Ohmae Graduate School of Business) 学長：大前研一

遠隔教育なので、働きながら文科省認可の“ＭＢＡ”が取得できる。
応募要項、願書の出願は⇒**http://www.ohmae.ac.jp**
Mail: bbtuniv@bbt757.com

ボンド大学大学院-BBT MBAプログラム

国内外400名以上の現役ビジネスパーソンが世界からネットで学ぶ海外大学院プログラム。
TEL : 0120-386-757　Mail : mba@bbt757.com
URL : http://www.bbt757.com/bond

アタッカーズ・ビジネススクール

「成功」を追求し続ける日本最大級の起業家養成機関。
TEL : 03-3239-1410　FAX : 03-3263-4854
URL : http://www.attackers-school.com/

コーポレート・アントレプレナー育成

企業内で、自立的に考え、行動し、ビジネスに繋げられる人材を育成。
人事部、人材開発担当様向けセミナー実施中⇒
http://www.attackers.ne.jp/corporation/

大前研一通信　大前研一の発信が1冊に凝縮！

大前研一の発信を丸ごと読める唯一の会員制月刊情報誌。ネット上にフォーラムも開設！
TEL :（フリーダイヤル）**0120-146-086　FAX:03-3263-2430**
URL : http://ohmae-report.com

大前経営塾

大前研一が毎日直接指導する経営者を志す方のための経営道場。
TEL : 03-3239-0287　Mail: keiei@bbt757.com
URL : http://www.bbt757.com/keiei

企業研修、ブロードバンド・ラーニングほか

お問い合わせ・資料請求は、
TEL : 03-3239-0757
URL : http://www.bbt757.com